查理九世—诡异的杀人恶婆

BIZARRE MURDER BELDAM

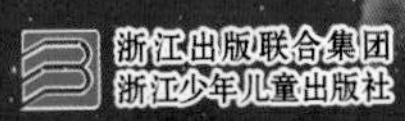

“我们就是破谜者——DODO冒险队！”

不老船王 权势庞大

亚瑟

ARTHUR

荣登大西洋船王的宝座，一头金色鬈发，外形无可挑剔，气质更是华美无敌。

背景身世一度成谜，连实际年龄也令周围人捉摸不透。

初登场于《查理九世》11–12册的故事中，现慷慨地担任DODO冒险队的赞助者角色。

他的名字就是——亚瑟！

虎虎生风 “体育”健将

虎鲨

FATSHARK

自行改良了第十套广播体操，将其威力暴增到可以御敌的地步！

脑筋不是很好，不喜欢思考复杂的问题，行动能力却超强，遇事愿意冲在最前面。DODO冒险队中的一员，也是育林小学的小霸王，“不好惹”是他的代名词！

他的名字就是——虎鲨！

独立天才 小发明家

扶幽

TAYLOR

智商绝对高于同龄人，平日里就沉浸在创作小发明的兴趣中，说话慢腾腾，在DODO冒险队中的存在感薄弱……

不过，越来越多的人将之理解成他独有的STYLE，目前人气日益高涨！

他的名字就是——扶幽！

查理九世—诡异的杀人恶婆

[雷欧幻像]作品
LEON IMAGE WORKS

BIZARRE MURDER BELDAM

浙江出版联合集团
浙江少年儿童出版社

“我们就是破谜者——DODO冒险队！”

不老船王 权势庞大 亚瑟 ARTHUR

荣登大西洋船王的宝座，一头金色鬈发，外形无可挑剔，气质更是华美无敌。
背景身世一度成谜，连实际年龄也令周围人捉摸不透。
初登场于《查理九世》11－12册的故事中，现慷慨地担任DODO冒险队的赞助者角色。
他的名字就是——亚瑟！

虎虎生风 “体育”健将 虎鲨 FATSHARK

自行改良了第十套广播体操，将其威力暴增到可以御敌的地步！
脑筋不是很好，不喜欢思考复杂的问题，行动能力却超强，遇事愿意冲在最前面。DODO冒险队中的一员，也是育林小学的小霸王，“不好惹”是他的代名词！
他的名字就是——虎鲨！

独立天才 小发明家 扶幽 TAYLOR

智商绝对高于同龄人，平日里就沉浸在创作小发明的兴趣中，说话慢腾腾，在DODO冒险队中的存在感薄弱……
不过，越来越多的人将之理解成他独有的STYLE，目前人气日益高涨！
他的名字就是——扶幽！

CHARLIE IX & DODOMO

女生代表 优秀班长 尧婷婷 TINY

绩在班级乃至年级位列一的女生，偏偏老师安了墨多多当她的同桌。小皮鞋跟，像小大人一教训墨多多是家常便。
ODO冒险队中的一员。到可怕的事情，虽然有她会忍不住害怕得哭出，但她丰富的课外知识了同伴很大的支持。
的名字就是——尧婷！

绅士小狗 人气NO.1 查理九世 CHARLIE IX

从外形看只是一只黑眼圈严重的小贱狗，可它确实拥有纯正的贵族血统！
本书的重要主角，世界冒险协会认证的勇敢的探索者！DODO冒险队实至名归的领导者，会说人话，爱泡澡，爱打扮，红色的领结是它标志性的装扮。
它的名字就是——查理九世！

未来侦探 问题多多 墨多多 DODOMO

一心向往能够成为大侦探的小学四年级学生，成绩不好，老爱惹麻烦，可不知不觉中，大家眼中的“问题多多”已经成长起来了。
对查理的老大位置心怀“嫉恨”，总想着有一天自己能够当上DODO冒险队的队长，目前自认为自己好歹也是“副”队长的级别！
他的名字就是——墨多多！
（墨多多：喂，别忘了我的真名叫墨小侠！）

东方魅力 神秘人物 唐晓翼 WING

协同世上仅存的基奈山狼王洛基一起，最新登场的神秘少年。
个性傲慢，说话毒舌，动不动就能让DODO冒险队彻底抓狂，而他本人偏偏以此为乐！
事实上，他承担着一项重要的使命，是促进DODO冒险队飞快成长的关键人物。
他的名字就是——唐晓翼！

查理九世—诡异的杀人恶婆

查理九世与墨多多的谜境冒险系列

目录 (2)

CONTENTS

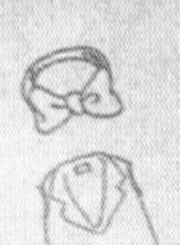

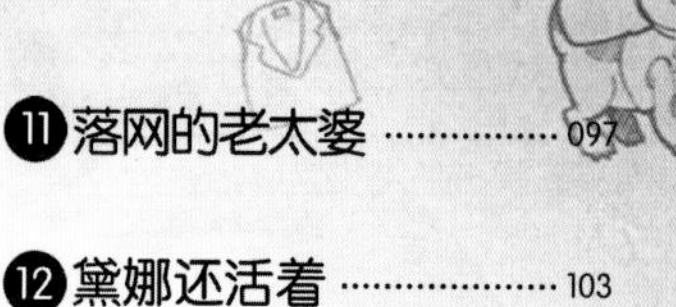

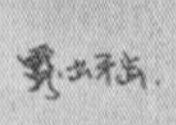

星梦童趣 StarKids

Charlie IX Production Committee

CHARLIE IX & DODOMO

女生代表 尧婷婷
尤秀班长 TINY

绩在班级乃至年级位列
一的女生，偏偏老师安
了墨多多当她的同桌。
小皮鞋跟，像小大人一
教训墨多多是家常便
。
DODO冒险队中的一员。
到可怕的事情，虽然有
她会忍不住害怕得哭出
，但她丰富的课外知识
了同伴很大的支持。
的名字就是——尧婷
!

绅士小狗 查理九世
人气NO.1 CHARLIE IX

从外形看只是一只黑眼圈严重的小贱狗，可它确实拥有纯正的贵族血统!
本书的重要主角，世界冒险协会认证的勇敢的探索者!
DODO冒险队实至名归的领导者，会说人话，爱泡澡，爱打扮，红色的领结是它标志性的装扮。
它的名字就是——查理九世!

未来侦探 墨多多
问题多多 DODOMO

一心向往能够成为大侦探的小学四年级学生，成绩不好，老爱惹麻烦，可不知不觉中，大家眼中的“问题多多”已经成长起来了。
对查理的老大位置心怀“嫉恨”，总想着有一天自己能够当上DODO冒险队的队长，目前自认为自己好歹也是“副”队长的级别!
他的名字就是——墨多多!
（墨多多：喂，别忘了我的真名叫墨小侠！）

东方魅力 唐晓翼
神秘人物 WING

协同世上仅存的基奈山狼王洛基一起，最新登场的神秘少年。
个性傲慢，说话毒舌，动不动就能让DODO冒险队彻底抓狂，而他本人偏偏以此为乐!
事实上，他承担着一项重要的使命，是促进DODO冒险队飞快成长的关键人物。
他的名字就是——唐晓翼!

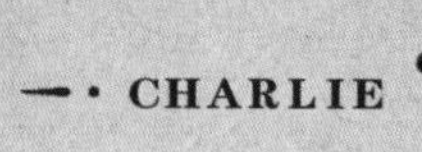

查理九世—诡异的杀人恶婆

查理九世与墨多多的谜境冒险系列

目录 (2) CONTENTS

附录:

PLAYTIME

超级大侦探教室

Super Detective Classroom

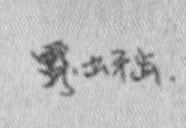

星梦童趣 StarKids

Charlie IX Production Committee

谨以此书

纪念我的童年，
那是一段小有遗憾的幸福时光。

——雷欧幻像
LEON IMAGE

聪明智慧的人，确实很幸福；
然而保持健康的人，还要幸福更多！

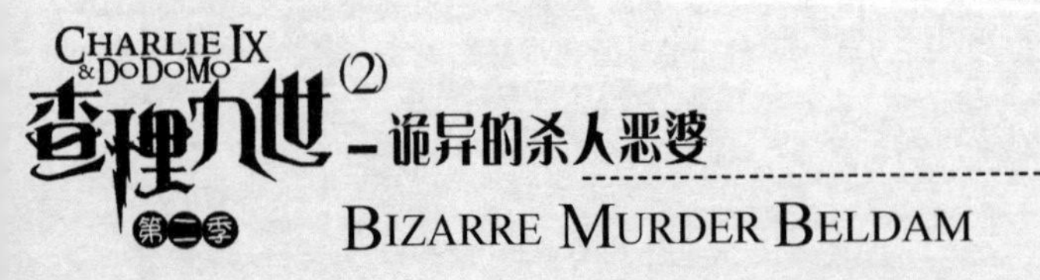

我要去锻炼身体啦，疯狗太郎！

yā shén
鸦神 Crow

引子
Let's begin!

夜幕徐徐降临，黑暗笼罩着一切，一阵歇斯底里的怪叫声盘旋在荒凉的村庄上空。

整个村庄充斥着一股诡异的气息，村民们瑟瑟发抖着掩起了房门，透过紧闭的窗户，惊恐地望向对面山顶的方向。

山顶有一片突兀的血红色，似乎刚经

历了一场激战！

隐约可以看到，一个身披黑色羽翼的巨大身影轰然倒地。

鲜血，从他的身体里汩汩地流淌出来，渐渐地染红了整片土地……

“嘎——嘎——嘎——”

遮天蔽日的乌鸦叫嚣着，冲破黑夜的云层，疾飞而来。

死亡的音符笼罩着整个村庄，那是令人生畏的绝望。

它们猛地向黑影俯冲而去，片刻之后，竟将那个巨大的黑影带离了地面，晃晃悠悠地往远方飞去。

遥远的天际，仿佛裂开了一道口子，有一个愤怒的声音在嘶吼着——

黑暗的巨翼将会吞噬弱者的灵魂，

在最黑暗的夜晚，乌鸦将再次起飞。

传说，黑鸦神将要再度降临……

FILE 01

镜头一

神秘的线索

xiàn suǒ

CHARLIE IX & DODOMO
BIZARRE MURDER BELDAM

墨多多，一个普通得不能再普通的小学生。在一个非常偶然的机会，从爷爷的地下室里发现一本神奇的书——《塞亚的咒语》，从此，背负着寻找安公主的使命，开始了一次又一次有趣又刺激的冒险之旅。

这天，正在课间休息的多多突然想到自己以往的“丰功伟绩”，小声地对自己说：“尽管，我是一个如此有智慧的人，但我不能骄傲，要低调，我要让全世界的人都知道我是一个低调的人。”多多握紧拳头貌似坚定状，弯月似的眼睛却藏不住笑意。

“切！”多多的课桌底下传出一声嗤笑，一只小白狗正卧在下面，斜眼瞧着多多那不可一世的得意样子，脑袋一扭，昂着头满脸不屑地走开了。别小看这只狗哦，它可不是街头随处可见的宠物狗，它的名字叫做查理，是多多的得力助手兼军师。它不但会像人一样两腿直立起来，还会利用脖子的变声领结说话，平时喜欢趴在窗台前读书，最大的爱好是对着镜子穿衣打扮，俨然一位高贵的绅士……说起它的故事，恐怕三天三夜也说不完呢！

“多多！”虎鲨和扶幽从外面跑进来，两人一屁股坐在座位上直擦汗。“我们打听到考试成绩了！我们班只有三个不合格的，按照这个概率算，里面肯定没有我。”扶幽一边嘿嘿笑，一边拿眼同情地瞄着多多，那表情分明有所指。

这句话怎么听着那么刺耳呢？多多斜了虎鲨一眼：“哼，按照我的智商来说，那里面也绝对不会有我！”

虎鲨从书包里面掏出零食袋子，抓着大把的爆米花往口里塞，鼓着腮帮子点点头，含糊地说道：“对哦，我也是这么想的。”

什么嘛，这简直是藐视他的实力！多多抓狂地抓了把半长不短的头发，忍无可忍地冲扶幽争辩：“喂，我的成绩没你们那么烂好不好！”

“那我们给你出道数学题，看看你的实力。”

“来吧，我不光是大冒险家，更是大数学家。”多多大言不惭地说道。

“钱袋里有1角、2角、5角3种硬币。甲从袋中取出3枚，乙从袋中取出2枚，取出5枚硬币仅有2种面值，并且甲取出的3枚硬币面值的和比乙取出的2枚硬币面值的和少3角，那么取出的钱数的总和最多是几角？”

“这个，人家对钱不是那么敏感啦……”多多撒娇道。

大力士虎鲨不悦地皱起了眉头，圆瞪着眼睛，对多多挥了挥自己无敌的铁拳：“你说什么？”

呃……虎鲨发飙的样子谁不害怕？多多心里一哆嗦，马

Question 01 谜题一 难度等级 Lv.

取出钱数的总和

钱袋里有1角、2角、5角3种硬币。甲从袋中取出3枚，乙从袋中取出2枚，取出5枚硬币仅有2种面值，并且甲取出的3枚硬币面值的和比乙取出的2枚硬币面值的和少3角，那么取出的钱数的总和最多是几角？

【正确的答案在12页，快去验证一下吧！】

上转过头，用课本挡住虎鲨可怕的视线。扶幽偷偷把板凳往多多的方向移动，生怕受到虎鲨的怒火连累。

“好吧，好吧！”在虎鲨的威慑下，多多仔细地思考着，生怕做错了。

“哦，我知道了！”

“等等，那是什么东西？”扶幽眼尖，一眼就看见了多多的胸前多了一枚亮闪闪的徽章。

虎鲨也十分好奇地看过去。多多胸前的徽章形状好似摊开的书，上面画着一顶皇冠，皇冠上镶嵌着七颗宝石，背后是两把交叉的宝剑。虎鲨挠挠头“咦”了一声，奇怪地自言自语道：“这个……好像在哪里见过似的。”

多多不自觉地挺了挺胸膛，用半得意半炫耀的口吻说道：“你们当然见过，约翰也有一个，这是世界冒险家协会特意为我颁发的奖章，我现在可是一名合格的探谜者哦！”

趁着老师还没来，多多绘声绘色地给伙伴们讲起了自己的冒险经历，坐在多多前排的慕小鱼转过头来，也非常感兴趣地听起来。

多多添油加醋地讲述着探险途中遇到的惊险情形，其中不忘把自己吹嘘成一个勇敢无畏的英雄，为了证明自己所言不假，他从包包里掏出一张照片给伙伴们展示：“这就是拉墨族长拜托我寻找的姐姐克莱尔，是不是非常漂亮啊？”

虎鲨一把将照片夺过去，惊喜地睁大眼睛赞道：“好美的姐姐啊！”

“咦？照片上的女生……我好像……见过……”前排的慕小鱼脸上露出意外的表情，小声说道。

“什么？你见过？在哪儿？”多多和伙伴们齐齐抬头看向他。

慕小鱼长得有些消瘦，肤色略显苍白，长长的刘海几乎遮到了眉毛以下，鼻梁上戴着一副厚重的黑框眼镜，面对几道目光的注视，他显得有些手足无措。

小鱼不好意思地推了推眼镜，结结巴巴地说：“那个……在……在邻居家……看到过。”

“你没有看错？真的见过照片上的女孩？”想不到意外

有了克莱尔的线索，多多高兴地咧嘴直笑，“太棒了，下课后你带我们去找克莱尔！”

小鱼像受了惊吓似的连连摆手，身子不断向后退，害怕地说：“不不……你们不要去……那里有个老太婆……好吓人……”

多多纳闷地问道：“一个老太婆有什么可怕的？”

虎鲨挤眼弄眼地笑道：“是不是你做了什么对不起老太婆的事情，所以不敢去呀？哈哈！”

小鱼犹豫地咬着嘴唇，脸色有些发青，因为不安，低沉的声音不由得微微颤抖起来：“不是的，那个老太婆行踪诡异……我……我亲眼看见……那个老太婆杀死了……一个小女孩……你们要找的那个人很可能是她下一个目标……”

什么？听了小鱼的话，多多他们不约而同倒吸了口冷气。

难道，克莱尔被邪恶的老太婆劫持了？

听了小鱼的话，小伙伴们都吃了一惊。那个老太婆听起来也太邪恶了吧？多多又惊又疑地追问：“天哪，这到底是怎么回事？”查理也抬起了脑袋，看着慕小鱼，认真听起来。

小鱼低下头似乎不愿再回忆往事，厚重的镜片和长长的刘海遮住了他的脸庞，谁也看不到他的表情。“事情过去好久了……可是到了现在……我都不敢回想……那天发生的事情……”

小鱼不安的声音中透着掩饰不住的恐惧。

答案：
Answer

【怎么样，你答对了吗？后面还有更多谜题等你挑战呢！】

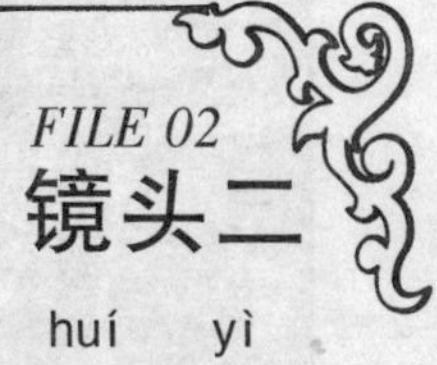

FILE 02

镜头二

huí yì

小鱼的回忆

CHARLIE IX & DODOMO
BIZARRE MURDER BELDAM

原来，一年以前小鱼家附近搬来一户新邻居，那家的小女孩黛娜活泼开朗，爱说爱笑，喜欢穿红衣服，一年四季所有的衣裙都是红色的。小鱼非常喜欢她，所以经常陪着黛娜去树林里采花、采蘑菇。不久以前的某个夏日，小鱼进山找黛娜，可是在约定的地点没有看到人，却发现了打翻的竹篮和散落一地的杜鹃花。

Question 02 Lv. C

谜题二 难度等级

杜鹃花

黛娜原本采的100朵杜鹃花全散落在地上。100朵杜鹃花里有黄的有白的，无论捡起哪两朵花，至少有一朵是黄的，白色的花有几朵呢?

【正确的答案在20页，快去验证一下吧!】

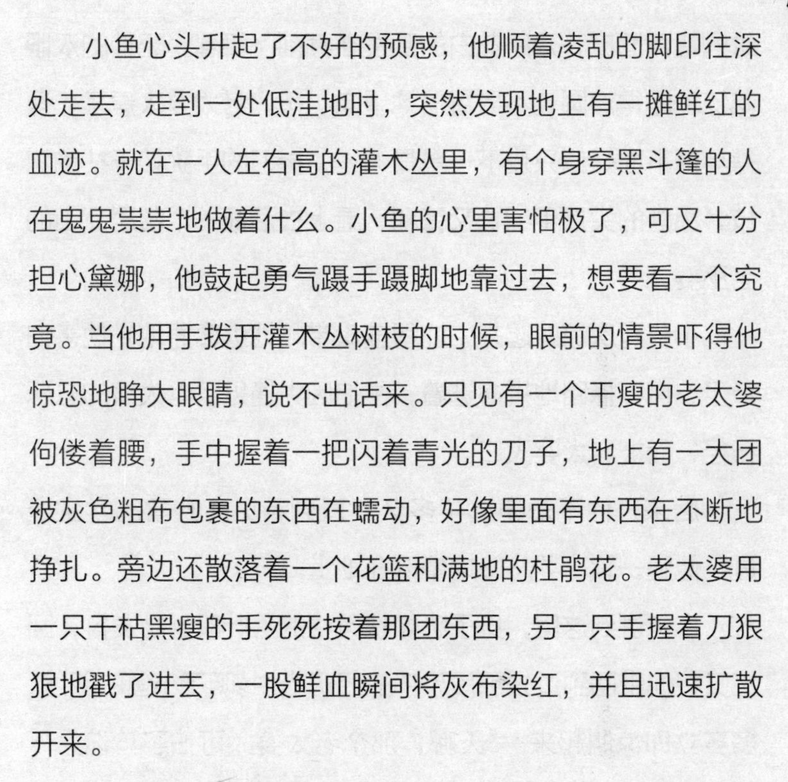

小鱼心头升起了不好的预感，他顺着凌乱的脚印往深处走去，走到一处低洼地时，突然发现地上有一摊鲜红的血迹。就在一人左右高的灌木丛里，有个身穿黑斗篷的人在鬼鬼祟祟地做着什么。小鱼的心里害怕极了，可又十分担心黛娜，他鼓起勇气蹑手蹑脚地靠过去，想要看一个究竟。当他用手拨开灌木丛树枝的时候，眼前的情景吓得他惊恐地睁大眼睛，说不出话来。只见有一个干瘦的老太婆佝偻着腰，手中握着一把闪着青光的刀子，地上有一大团被灰色粗布包裹的东西在蠕动，好像里面有东西在不断地挣扎。旁边还散落着一个花篮和满地的杜鹃花。老太婆用一只干枯黑瘦的手死死按着那团东西，另一只手握着刀狠狠地戳了进去，一股鲜血瞬间将灰布染红，并且迅速扩散开来。

一阵痛苦的呜咽声从那团红布中传了出来，是那样凄厉，那样惊心动魄。

小鱼认得那块灰色粗布，那是黛娜用来盖竹篮的布。沾了血的粗布底下露出几绺黑色的发丝，那分明就是人的头发。

小鱼非常惊恐：那个老太婆杀死了黛娜！

“啊！”受惊吓的他忍不住叫出声。

老太婆也被吓到似的，猛然转过头来，那是一张布满皱纹的蜡黄面庞，几绺花白的乱发在额前飞舞着，无神的双眼吃惊地瞪得滚圆，不敢置信地望向小鱼。老太婆太瘦了，瘦得斗篷下面好似只剩下一具骨架子，握刀的手犹如干枯的树枝，墨黑的尖指甲细长又锋利，看上去活像一个幽居深山的老巫婆。

小鱼再次惊叫起来，吓得连滚带爬地逃离原地。他害怕极了，慌不择路地拼命逃着，生怕因为撞见了老太婆的丑恶行径，而被老太婆灭口。

后来，他不知道逃了多久，直到看见有野营的学生经过，他腿一软，晃悠悠地晕倒在地上……

小鱼讲到这里，身子犹如秋风中的落叶般瑟瑟发抖，回忆又将他带回到过去那段恐怖的经历当中。听了小鱼的叙述，多多立即惊叫起来："天哪，那个老太婆太可怕了！你为什么不报警？"

"就是，应该让警察把她抓起来！枪毙！"虎鲨愤愤不平地叫道。

小鱼低下头，低沉的声音透着浓浓的不安感："我报过警……也带警察……去了事发地，可是他们……没有任何收获，所有的痕迹都消失了。后来我发现……那位老太婆……住进了黛娜的房子……我才意识到，老太婆比我……想象的还要厉害……"

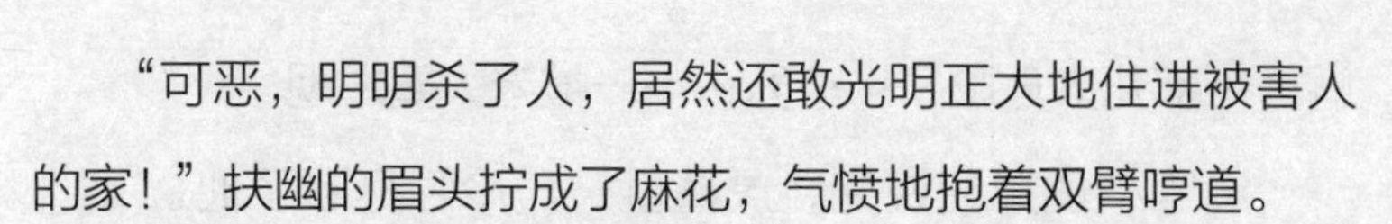

“可恶，明明杀了人，居然还敢光明正大地住进被害人的家！”扶幽的眉头拧成了麻花，气愤地抱着双臂哼道。

多多意外地看了扶幽一眼，想不到平时总是慢悠悠，无所事事的扶幽，竟然也看不惯这种恶人行径。略微一想，多多突然注意到一个小问题，正要发问，却又听见自己的声音在问：“等等，那黛娜的家人呢？”

多多扭头看向书包，只见查理正咬着领结发声器，原来是它在模仿自己说话。这个家伙，总是抢戏。

“黛娜原本跟她……婶婶住在一起……后来黛娜失踪后……她的婶婶就搬走了。”小鱼揉了揉发红的眼睛，难过地说。

“这么说，那个房子里现在只有老太婆住着？”多多挠着头，用嘴叼着铅笔，心里盘算起来：要是这样的话，那克莱尔住在那里岂不非常危险？不行，克莱尔可是安公主之一呢，千万不能有什么闪失，得赶快想办法把她从杀人老太婆的魔掌中救出来。

打定主意以后，多多看向小鱼，目光坚定地说：“不管怎样，我一定要找到克莱尔！”

“对，让小鱼带路，我们去把克莱尔从老太婆手中拯救出来！”虎鲨积极鼓动道。

小鱼一听，连连摆手，结结巴巴地急劝：“不……不要啊……那儿太危险了……万……一被老太婆发现……”

没等小鱼把话说完，虎鲨就一声冷哼打断了他。“哼！胆小鬼！你胆敢不去，想尝尝本大爷的独门必杀技吗？”虎鲨亮出自己的铁拳在小鱼眼前一挥，神情凶恶地瞪着眼。

果然，慕小鱼吓得浑身瑟瑟发抖，眼前的虎鲨嚣张的嘴脸似乎跟那个婆婆同样可怕。小鱼皱着一张小脸，苦苦哀求：“她……她会杀了我们的……”

“哼，我会让你们见识见识，是老太婆厉害，还是我虎鲨的铁拳厉害！”虎鲨用力一拍桌子，震得桌上的课本全弹了起来，纸片飞舞。这个举动倒是把多多和扶幽吓了一跳。扶幽偷偷瞄着虎鲨，小声跟多多咬耳朵：“我们真要带上他吗？”这可是个麻烦的家伙啊！

多多看了一眼虎鲨紧握的铁拳，额头垂下一颗豆大的汗珠。他干巴巴地笑着，小心地支招说：“那个……想想老太婆的行为，你不觉得我们需要一个有力的打手吗？”

扶幽眼珠一转，会意地点点头，马上机灵地转向虎鲨握住他的手，极富热情地说：“太好了，有虎鲨出马，一定马到成功！”

“对呀对呀！”多多在旁边边附和边鼓掌，并献上无数赞美之词对扶幽大加赞扬。虎鲨被他们捧得飘飘然，咧着大

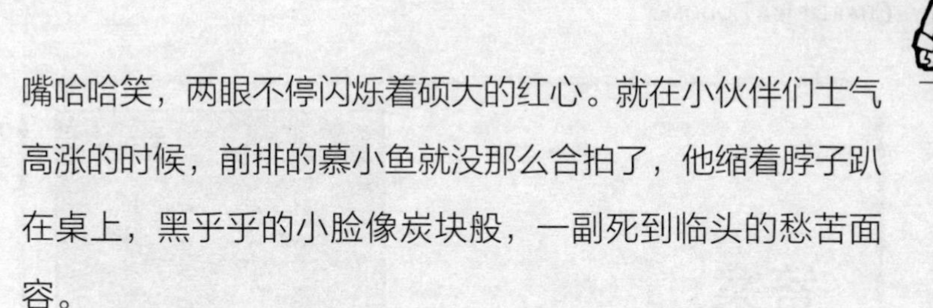

嘴哈哈笑，两眼不停闪烁着硕大的红心。就在小伙伴们士气高涨的时候，前排的慕小鱼就没那么合拍了，他缩着脖子趴在桌上，黑乎乎的小脸像炭块般，一副死到临头的愁苦面容。

多多拍拍小鱼的肩，好心地安慰道:“放心啦，有虎鲨在，没什么好怕的。”

“就是就是，别小看虎鲨的本领哦，那个老太婆再厉害，能敌得上虎鲨的铁拳吗？嘿嘿，再说，我们跟她无冤无仇的，她不会找我们麻烦的。”扶幽放心地嘻嘻笑道。

一听这话，小鱼的头顶开始冒白烟了，小脸皱成苦瓜似的哀叫道:“可是那个婆婆认识我……她不会……放过我的……”小伙伴们一心想尽快找到照片上的漂亮姐姐，哪里顾得上小鱼的感受。虎鲨嫌麻烦，一瞪眼睛，凶巴巴地叫道:“少啰唆，再多一句嘴，当心本大爷削你！”

小鱼忙用手捂住嘴巴，再不敢多说一句。

事不宜迟，多多跟伙伴们经过一番商量，决定放学后就去打探克莱尔的下落。

答案：
Answer

【怎么样，你答对了吗？后面还有更多谜题等你挑战呢！】

FILE 03
镜头三

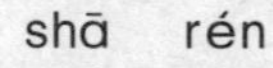

杀人老太婆

shā rén

CHARLIE IX & DODOMO
BIZARRE MURDER BELDAM

下课后，多多和伙伴们在小鱼的带领下乘公车前往东郊一带，东郊的位置远离城市中心，又与原始森林相邻，处于中间地带。伙伴们坐在公车最后一排，透过车窗，多多发现这一带住户很少，家家户户都相隔着一段距离。“吱——”随着一阵刺耳的刹车声，公车在一片很不起眼的平房中间唯一一幢二层花园小楼前停了下来。

坐到终点站时，公车上空荡荡的，只剩下了四个孩子。

等车门打开，多多第一个跳下车，迎面立着一块生了锈的铁车牌，漆面龟裂，上面的字迹也变得模糊不清，隐约能看到三个字：普洛镇。查理从多多身后的背包里哧溜一下钻出来，非常灵活地跳到地上，抖了抖身上的毛发。

“普洛，名字很洋气哦！”第二个下车的虎鲨手指着站牌啧啧地说。

扶幽随后跟下来左右张望，不免失望地哼道：“好荒凉的地方，一点也不好玩！”

小鱼最后一个从车上下来，推了推大大的眼镜，嗓音闷沉沉地说：“我要带你们去的地方……离这儿还有一段路呢。”小鱼实在不愿再去那么可怕的地方，可是有虎鲨虎视眈眈地盯着，他哪敢说不。

“那就不要耽误时间了，我们快出发吧！”在多多的催促下，伙伴们跟着小鱼沿着一条坑坑洼洼的小土路继续前行。

一位胖阿姨正领着三岁大的孩童在门口玩，一看到小伙伴们经过，脸上顿时露出警惕的表情，赶紧一把拉着孩子，退回门里，砰地把门关上，仿佛在害怕什么。

小伙伴们感到有些莫名其妙，多多纳闷地小声嘀咕着：“怎么搞的？他们好像很怕我们的样子。”

“他们……不是怕你们……”走在旁边的小鱼慢吞吞地

闷声解释，“是不愿跟……外来人接触……”

“这是为什么呀？”虎鲨奇怪地问。

“原本……这里的人……都很和善的，自从黛娜出事后……人们纷纷传言是陌生人……害死了她，渐渐地，人们不愿跟外来人……打交道了，都怕自己的孩子……出事。”小鱼说到这儿，情绪突然激动起来，提高声音生气地咬牙道，“只有我知道凶手……就是那个老太婆……我亲眼看到……是她杀死了……黛娜。”

多多摸了摸下巴，琢磨着问了一句：“会不会是你看错了呀？要真是那个婆婆，警察早就把她抓起来了，怎么会轻易放过她呢？”

小鱼突然停下脚步，愤怒地摇了摇头，斩钉截铁地大声说：“不，就……就是她！绝对是她！”

一提到黛娜，小鱼的情绪变得格外激动，他用手背狠狠擦去眼中的泪水，颤抖着声音低沉地说：“那次出事后……我又偷偷进山……寻找线索，就在上次看到老太婆的地方……我看见了……一座墓碑……”小鱼低下头，肩头不停地微微抖动，厚重的镜片遮住了他的表情，“是……是黛娜的墓碑！”

小鱼的声音哽咽了，几颗晶莹的泪滴像断了线的珠子从脸上滚落下来。

一时间，小伙伴们都沉默了，突然失去了最要好的伙伴，小鱼的心情一定糟糕透顶了。多多伸手拍了拍小鱼的肩头，安慰道："别伤心，如果那个婆婆有问题，绝对逃不过我这个未来侦探家的眼力哦。我们不会放过杀害黛娜的凶手。"

扶幽附和地点点头："对，我们一定会揭开老太婆的丑恶嘴脸！"

"还啰嗦什么，我们赶紧走啦！"虎鲨耐不住性子，嚷嚷着说道。自从看了克莱尔的照片，虎鲨显得比谁都积极，恨不得马上见到漂亮的克莱尔。查理晃着小尾巴，早就迫不及待地奔去前方了。

伙伴们跟着小鱼继续向前走去，绕过一大片湖区，小鱼停下脚步，抬手指向前方不远处一座房子说："就是那儿。"

伙伴们顺着小鱼手指的方向望去，前方的树林中只有零星几户人家。老太婆住的房子是那种很不起眼的青瓦土坯房，后院却相当大，围墙上爬满了长势强劲的爬藤植物，有的还跟树冠连成一片，整个后院就像被绿色植物搭起了一座天然凉棚，上面还星星点点地点缀着各色野花。

"你们去吧，我……我在这里……等你们好了……"小鱼吞吞吐吐地说，不愿意再往前走了。

"小鱼，你不想为黛娜做点什么吗？也许我们能从老太

Question 03 谜题三

Lv. C 难度等级

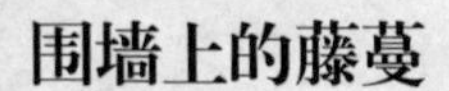

围墙上的藤蔓

多多发现墙上藤蔓生长速度非常快，如果藤蔓以每天长一倍的速度迅速生长，围墙高 3 米，藤蔓在第四天就能长到了围墙顶部。那么，藤蔓是在第几天长到了围墙一半的高度呢？

婆身上发现什么破绽。”多多鼓励说。

虎鲨不乐意地叉着腰，虎着脸瞪向小鱼，凶巴巴地说：“胆小鬼，真窝囊！本大爷现在命令你，必须跟着我们走！”

“我们这么多人，你没必要害怕啦！”扶幽非常放心地劝说道。

小鱼还是害怕地摇摇头，脚步向后退去，躲到树后面怯怯地说：“我……我在这里……等你们……”

“你这个胆小鬼……”虎鲨拧着眉头瞪着小鱼。眼看虎鲨脾气要发作，扶幽忙伸手拉住他的衣服。多多赶紧出言劝道：“算了算了，反正又不远，我们自己去好了。”

多多和扶幽朝老太婆家的方向走去，落在后面的虎鲨不忘回头冲小鱼挥了挥拳头，鼻腔里发出一声轻哼。

没走多远，伙伴们来到了老太婆家门口。看得出两旁的院墙墙皮是用混合着干草的泥土糊上去的，很多地方因为干裂掉皮而变得坑坑洼洼，破败的木门颤巍巍地支在门口，好

【正确的答案在28页，快去验证一下吧!】

像一股风就能把门板吹倒似的。

“我来敲门。”多多小心翼翼地拍了拍门板上的铁环。

“当当当！”多多连拍了几下，可不见里面有人应声。伙伴们相互对视，不约而同地把头凑到门缝前，几双眼睛好奇地透过缝隙往里望去。院子里打扫得很干净。正对面是屋门，屋门半掩着，里面不断有浓烟冒出，像是有人在里面做饭。“汪，我进去看看。”查理俯低身子，动作灵活地从门板底下的缝隙钻了进去。

“查理，等等我！也许那个婆婆耳背没有听见，我进去瞧瞧！”

多多刚要推门，扶幽忙拉住他，小声提醒道：“等等，等等，她可是杀过人的凶手啊！”

门刚推开一半，多多的手就像触电似的缩了回来。对，差点忘了，要是那个老太婆突然对他发狠，怎么办？多多咬着嘴唇犹豫起来。“唧——唧——”屋里传出一种可怕的声音，像是有人在非常用力地剁着什么。虎鲨伸长脖子探头往里张望，不晓得里面到底正发生什么事情。

“我们还是拍门吧，要是老太婆对我们不利，逃跑也来得及呀，你说呢？”扶幽心虚地嘿嘿笑。小鱼的话和恐惧的表情让伙伴们多少受到了影响。

多多本来还有些犹豫，听了扶幽没志气的话，心里突然升起了一股勇气："查理已经进去了，或许克莱尔也在里面，我不能丢下她们不管。"

多多毅然推开门走了进去，虎鲨小心翼翼地跟了进来，转头往四周张望；扶幽却只敢躲在门外探头探脑。多多走到屋门前，抬起手正要叩门，一股难闻的腥臭味从门缝中飘进大家的鼻子。咦，这是什么味呀？多多忍不住用手捂着自己鼻子，满心疑惑地悄悄将房门推开一条缝。

答案：
Answer

Question 03 Lv. C
谜题三 难度等级

【怎么样，你答对了吗？后面还有更多谜题等你挑战呢！】

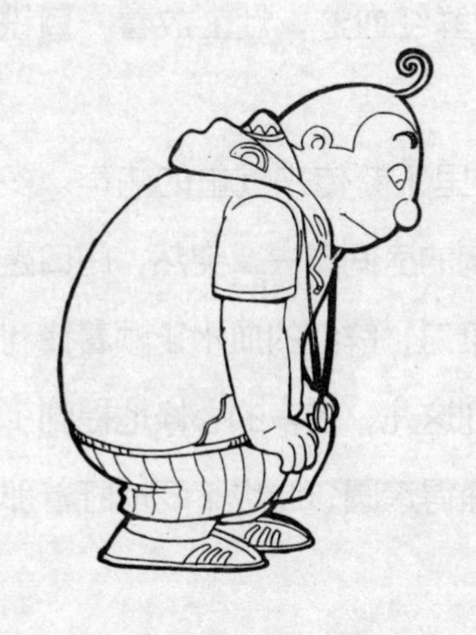

FILE 04

镜头四

假案谜团

jiǎ àn

BIZARRE MURDER BELDAM

啊，有血！眼前的情形把多多吓坏了，一颗心扑通扑通地乱跳，头皮一阵阵发麻。

这间非常老旧的房舍里，地板还是农村常用的那种砖地，上面浮着一层永远也扫不干净的尘土。

让多多感到胆战心惊的是，门口的地上流了一摊血水，旁边扔着几把刀子剪子等凶器类的物件，屋里除了血腥味，还有呛鼻的烟味。再把门推开一点，多多赫然看见，一角的白瓷灶台上同样流着一摊摊的鲜红血迹，灶上放着一口铁锅，里面正烧着滚滚的热水。

“唧——唧！”里面的小屋里不断传来沉重的响声。多多不安地睁大眼睛，朝发出声响的房间看去。突然，门口露出一角衣衫，还有一把带血的菜刀，鲜红的血水正顺着锋利的刀尖一滴滴向下流淌……看到这儿，多多的心倏地提到了嗓子眼，呼吸也停住了，两眼睁得滚圆，眨也不眨地盯着那把菜刀。

“这只腿怎么这么难剁下来？不如，先砍下脖子……”一个阴森沙哑的声音恶狠狠地念叨着什么。随后传来的是一阵挣扎的扑通声和痛苦的凄厉嘶喊，听得直叫人心惊肉跳。多多只觉得全身血液直往头顶涌，双腿抖得几乎快站不住了。妈呀，小鱼说得没错，这绝对是一个杀人老太婆！

眼看着门口有人影闪动，好像要出来了，多多吓得惊跳起来，冲口而出："查理，快跑！"他转身向外逃去，两脚舞得如风轮一般。

"汪！"查理紧随其后，迈开四肢追了上来。虎鲨看见多多脸色发白地跑出来，心知不妙，立刻向门外撤退。

"哎哟！"跟着虎鲨出门时，多多被门槛绊了一下，身子摇摇欲坠地朝前扑去。这时，虎鲨眼疾手快，一把揪住多多的衣领，像拎着只狗似的拖着他迅速逃离原地。小伙伴们刚刚躲到墙后，这个时候，一颗苍老的脑袋探出门口警惕地向左右张望，然后迅速缩回去，关上了门。

扶幽长长呼了口气，扭头问多多："你到底看见什么了？怎么吓成这样？"

多多脸色发白，靠着墙呼哧带喘地说不出话来，嘴角哆嗦了好久，才艰难地发出声音。"我……我看见……"多多把看到的那一幕讲给他们听，他怀疑老太婆在行凶或是做什么可怕的事。虎鲨和扶幽张大嘴巴，半晌也没出声。还是扶幽最先回过神，哎呀叫了一声，嘴里紧张地念叨："不得了啦，一定像小鱼说的那样，这个老太婆是杀人凶手！"

"那样的话克莱尔有危险！快报警！"虎鲨从裤兜里摸出一部手机，快速在上面按了几个键，急迫地汇报："是

110吗？我要报警！”

小伙伴们被老太婆的罪恶行径彻底吓到了，他们岂能容忍这种人危害社会治安？

报完警，小伙伴们心神不定地等在原地。突然，多多想到了什么惊叫道：“等等，查理呢？”他刚刚发现少了一个同伴，慌忙低头寻找。

扶幽吓了一跳，结结巴巴地说：“天……天哪，我们……不会把它丢在里面了吧？完……完蛋了，那个老太婆一定会抓住它，像对待别人似的剁下它的脑袋。”多多一想到那把带血的菜刀，不禁打了个寒战，要是查理落在老太婆手中……多多简直不敢再往后想。

“我去把它救出来！老太婆要敢伤害它，本大爷就跟她拼了！”虎鲨豁出去了，挥着拳头就要往回冲。就在伙伴们准备冲回去救查理的时候，“汪！”一个熟悉的叫声传进大家的耳朵。伙伴们寻声望去，只见查理从虎鲨脚后的草丛中跳了出来，快活地冲他们摇着小尾巴。

“查理，你不要乱跑好不好？”多多冲过去，生气地斥责道。

“你们只顾惊慌失措地乱跑，完全把我忘记了，这怎么能怪我？”查理埋怨地看了多多一眼，理直气壮地反驳。一句话辩得多多他们没了词，大眼瞪小眼地看着它。查理慢条

斯理地梳理着毛皮，以一副老师训斥学生似的口吻对多多哼道：“还有，多多，事情还没搞清楚就吓得落荒而逃，贸贸然报了警，这哪里是探谜者的作风？亏你还说自己是未来的大侦探家，简直就是一个胆小鬼。”

什么？多多的脑袋里拉起火车鸣笛声。

想不到查理竟然这样奚落他，多多小脸刷地红成番茄，气急败坏地大声反驳：“喂，你没看见屋里那一地的血，还有那把带血的菜刀？那家伙说什么砍脖子砍头的，那分明就是杀人老太婆！那种情况下你觉得我们还有留下去的必要吗？”

这个臭查理，竟然当着别人的面诋毁他的办事能力，真是岂有此理！

“宁跟聪明人吵架，不跟糊涂人拌嘴。我才懒得跟你费口舌。”查理抬起眼皮斜睨了多多一眼，抬起头转向另一边。

“哼，我也懒得跟你争，等警察叔叔来了，你会看到真相。”多多哼了一声，不再理睬查理。

虎鲨转过身来，说道：“我来当个和事老，多多给你出个应变思维的题目，证明一下你的智力！”

“大鹏的爸爸出差，要去十几个城市，他的爸爸离开家有两个月的时间了，从来没有给家里去过一封信，没拍过一次电报，也没和家里人通过一个电话。但大鹏却天天都知道爸爸在哪个城市，这是为什么呢？”

多多听完之后，哈哈大笑道：“虎鲨，下回你出个难一点的题目，这个也太简单了！”

扶幽突然打断他们：“听，警察来了！”

Question04 谜题四 Lv. 难度等级

爸爸所在城市

大鹏的爸爸出差，要去十几个城市，他的爸爸离开家有两个月的时间了，从来没有给家里去过一封信，没拍过一次电报，也没和家里人通过一个电话。但大鹏却天天都知道爸爸在哪个城市，这是为什么呢？

【正确的答案在40页，快去验证一下吧！】

一阵警笛声越来越近，不一会儿，警车闪着警灯一路呼啸地停在老太婆家门口。多多和伙伴们赶紧跑过去，围住从上面下来的一位警察叔叔。

“警察叔叔，里面有情况……”

“电话是我打的，快把那个婆婆抓起来……”

“真是太……太可怕了，她一定是杀人凶手，冷血刽子手！”

伙伴们七嘴八舌地向警察报告案情。

“好好，你们别急，我先进去了解下情况，你们在这里等我。”警察叔叔劝孩子们少安毋躁，一个人进了院子。多多他们等在门口焦急地盼着。没一会儿功夫，警察询问完走了出来，并关上了门。他转向围过来的孩子们，神情严肃地警告说：“孩子们，记住，报假案可不是好玩的。以后不许再玩这个把戏了！”

警察叔叔竟然说他们报假案，伙伴们大为意外。

“我们没有报假案。”多多和同伴们异口同声地叫道。

“叔叔，我看见屋里有好多血，那个老太婆还拿着刀……”多多抢先把自己所见讲述了一遍，并说出自己的种种猜测。警察叔叔严肃地说：“你们胡乱猜测是不对的。那位老太婆正在炖鸡，所以弄了一地的血，至于惨叫声，那是杀鸡弄出的声音。好了，你们不要动不动就大惊小怪的。警察叔叔每天有很多处理不完的事，没时间管这些小事，明白吗？”

警察叔叔不再理会他们，打开车门上了车，警车一路呼啸而去。

多多生气地跺了跺脚，气愤地说：“事情还没调查清楚，他怎么能这么不负责任？”

“可恶，警察叔叔竟然说我们报假案！”虎鲨气呼呼地咬牙道。

多多忽然想起曾看到屋子一角，有一团黑色的毛茸茸的东西泡在半盆血水中，那根本不是鸡毛。总之，这件事情实在太可疑了！

“我觉得这件事太古怪，不管怎么说，我一定要把事情调查清楚，揭开那个婆婆的真面目。”说到这儿，多多突然感到了异常，好像自己突然进了一个冰窖，一股刺骨的寒气迅速包围全身，直往骨头里钻，冻得他手脚冰凉，忍不住打战。怎么搞的？这种感觉似乎来自……多多下意识地扭头望向身后老太婆的家门。只见门板的缝隙后面多了一双眼睛，混浊泛黄的眼珠透着邪恶阴森的气息，正在恶狠狠地瞪着他。

那双眼睛渐渐眯成一条缝，里面闪着可怕的光，一个飘乎不定的阴冷声音传进他的耳朵，那声音比寒风还冰冷，比刀锋还凌厉，嘶哑着警告道：

小子……少管闲事……好好留着你的命！

声音带着透彻心底的寒意，仿佛来自地狱。

多多怔怔地立在原地，一颗心扑通扑通地狂跳不止，那个婆婆的眼神好像能刺穿他的心脏，强烈地震慑住了他。

“多多，你怎么了？”扶幽伸手在多多眼前晃了晃。多

多忘记了说话，抬手朝房门指去，两眼直愣愣的。

等扶幽和虎鲨顺着多多的视线望过去，老太婆已经离开了。

查理蹲坐在地上，摇晃着小尾巴，不屑地望着多多："汪，多多不会是吓傻了吧？刚刚还一副神气模样。"

多多的目光一一扫过扶幽和虎鲨，见他们轻松的模样，多多心里又惊疑又不安："你们刚才没有听到那个可怕的声音？"同伴们莫名其妙地看着他，纷纷摇头。

多多脸色倏地没了血色。怎么搞的？好像只有他听到了刚才的声音……不，不可能，一定是自己幻听。多多用力晃了晃头，努力让自己冷静。"现在警察不管了，我们要自己调查这件事才行，你们有什么好主意吗？"

扶幽伸手往包包里摸索着什么："对对对，让我找一找，也许有什么合适的工具。"

虎鲨撇了撇嘴："切，你那些小发明都是破烂，还不如我新买的仪器呢。好吧，让你们见识见识先进科技的产物。"虎鲨手一扬，手中多了一件外形酷似医生听诊器模样的东西。

"咦，这是什么？"多多好奇地问。

扶幽的目光也被吸引了过来，惊羡地问："哇，这是什么宝贝呀？"

“这是老爸刚给我买的迷你窃听器，花了我半年的零花钱，”虎鲨得意地晃了晃，介绍道，“只要把杯形触头贴在门上，我就能从耳机里听到屋里的动静。”

“这个管用吗？”扶幽低着头，细细打量虎鲨手中的新仪器。

虎鲨斜了扶幽一眼，“当然，我已经试过了。上次老师在办公室开会研究考试题，我在外面听得清清楚楚……”话没说完，虎鲨突然想到了什么，眼珠转了转，脸上露出心虚的神情。听到虎鲨无意中说漏了嘴，多多跟扶幽一起用鄙夷的眼神瞅着他。虎鲨理直气壮地晃晃手中的迷你窃听器，粗声粗气地嚷嚷：“我这叫物尽其用，喂，你们到底用不用？”

“用！”多多和扶幽积极地叫道。

他们悄悄摸到门口，虎鲨把迷你窃听器的杯形触头贴在门上，然后把耳机一端塞进耳中。多多赶紧拿起另一只耳机贴到自己耳边听起来。窃听器的功能太强大了，一下子把微弱的声音放大了很多倍，什么都听得很真切：老太婆的脚步声，奇怪的咯吱声，还有老太婆的呼吸……

“听到没？快让我也听听！”扶幽在旁边摩拳擦掌，跃跃欲试。“嘘！”多多把手指凑到唇边嘘了一声，耳机里传出老太婆苍老又沙哑的低哼，像是在唱什么小曲。

好孩手啊睡觉觉，

到处跑啊有烦恼；

白月光光照耀好，

染上鲜血就不抄。

好孩手啊睡觉觉，

记得躲开黑衣袍；

风呼呼啊别心跳，

利刀在手血光跑。

好孩手啊睡觉觉，

孤魂一缕无依靠；

埋身黄土睡美觉，

生生世世无烦恼。

老太婆哼唱着令人心悸的童谣，虽然低沉沙哑的声音很轻，却像一把重锤，一字一句清楚地敲击在小伙伴们的心坎上，震得他们心底发颤。

这首童谣字里行间透着浓浓的血腥味，吓得多多透不过气来。这个老太婆为何哼唱这么可怕的童谣？这里面似乎藏着巨大的阴谋。

答案：
Answer

Question 04 谜题四
难度等级 Lv. D

【怎么样，你答对了吗？后面还有更多谜题等你挑战呢！】

FILE 05

镜头五

诡异的蔬(shū)菜(cài)王国

CHARLIE IX & DODOMO
BIZARRE MURDER BELDAM

听了老太婆唱的童谣，小伙伴们都觉得心里发毛，虎鲨用力咬了咬牙，断定道："我敢打赌，这个婆婆一定不是好人。"

"可惜，警察不相信我们的话，只有找到证据才能让警察相信我们，揭露老太婆的真面目。"多多决定要做点什么才好。

扶幽点头如捣蒜，十分赞成多多的观点。他眼珠子一转，立刻有了鬼主意："有办法了！前门走不了，我们不如从后院进去，看看她到底在搞什么鬼名堂。你们觉得这个主意怎么样呀？"

说话不如行动，伙伴们马上绕过墙角，来到后院的围墙边。

咦？多多抬头一看，突然注意到墙皮上下有很明显的分界点，上半截的土颜色较深，像是后来再接高的，比别家的院子足足高出半米。他嘴角勾起自信的笑，手指着被接高的地方，再确定不过地说："看吧，如果不是做贼心虚，那老太婆不会平白无故地把墙垒高，这说明里面大有问题。"

"那还啰唆什么？我们翻过去不就知道了？"虎鲨往手心里吐了口唾沫，双手搓了搓，瞄准目标，膝盖一弯，用力向上起跳，结果手指尖连墙头都没摸到，反倒扒拉下来一大块墙皮。

虎鲨双手叉着腰，睁大眼睛瞪着高墙。扶幽用手背蹭了蹭鼻头，好心地建议道："看来我们要叠罗汉才能爬上去。"

虎鲨忽然想到了什么，打了一个响指，用命令的口气哼道："扶幽，快过来！当我的板凳！"

"什……什么？为……为什么是我！"扶幽吓了一跳，

虎鲨那圆滚滚的壮硕身躯压在自己身上可不是闹着玩的。

“本大爷命令你过来！要问问我拳头的意见吗？”虎鲨撸着衣袖，虎视眈眈地瞪着扶幽，一副准备施暴的样子。

扶幽黑着小脸磨磨蹭蹭地走过来弯下腰。虎鲨抬脚踩上去，扶幽的身躯立刻像筛面粉似的抖起来——妈呀，虎鲨你真的很重啊！

查理顺着搭起的人梯，三步两蹿就立到了墙头，低头望着他们。虎鲨的手指尖总算摸到墙顶了，他吃力地往上爬。多多在下面用力推虎鲨的屁股，终于把虎鲨推了上去。在虎鲨的帮助下，多多和扶幽也先后爬上墙头。

居高临下望去，三人一狗的眼睛不约而同地睁得老大。老太婆家的院子好大，有一个足球场那么大。借助院墙内外的大树枝桠，爬藤植物肆意蔓延搭连，竟然形成一座遮天蔽日的天然凉棚，凉棚上方只露出十几棵巨大的树冠。

“啧啧，这个婆婆真是精力惊人啊，还有闲心捣鼓这么大的庭院！”扶幽不禁发出一声惊叹。

“老太婆把围墙加高，又种了这么多爬藤，肯定有什么不可告人的秘密。”多多断定道。

“走，下去看看。”虎鲨招呼着向下跳去，几道身影同时没入一片绿色的海洋。“扑通、扑通、扑通”，小伙伴们先后摔倒在地上，伴随而来的还有多多的埋怨和扶幽的惨叫声。

“汪，你们快看，原来这里是一个菜园子啊！”查理惊奇地叫道。伙伴们还没从地上爬起来，就被眼前的奇观惊呆了，一个个睁大眼睛愣愣地看着。

“老天，这……这都是老太婆的杰作？”多多吃惊地叫了一声，张着嘴巴打量四周。虎鲨慌忙揉了揉眼，简直不敢相信自己的眼睛。扶幽惊讶得下巴都快掉下来了，双手抱着头，连连惊叫：“天哪天哪！是我们眼花了吗？不然，怎……怎么会有这么大的黄瓜？这还是黄瓜吗？啊啊啊，完了完了，一定是我们变小了！”

小伙伴们没有想到，跳下来看到的竟然是这样一番景象。

只见地上排列着许多半米高的大花盆，每个花盆里都生长着粗大的根径，头顶上方垂吊着数不清的硕大瓜果。熟透的番茄犹如西瓜那么大，红彤彤的，跟灯笼似的；黄瓜长

Question05 谜题五 难度等级 Lv. D

硕大的花盆

多多发现这些硕大的花盆一共有 7 盆，排列方式很特别，每行 3 个花盆，排成了 6 行。这是怎么排放的呢？

【正确的答案在49页，快去验证一下吧！】

得有碗口那么粗，一米来长；一根根豆角从头顶直垂到地上……供人行走的通道都被密密麻麻的植物叶子占据，小伙伴们置身其中，仿佛走进了一个诡异的蔬菜王国。

摸了摸身边香蕉般大的朝天椒，多多不可思议地说："我从来没有见过这么大的朝天椒，难道老太婆是个农学家？"这里所有的植物都大得出奇，要是拿出去展览，绝对能轰动整个世界。

扶幽认同地点点头："没错没错，她搭这么大的棚子一定是为了搞这些研究，为了防止外人窃取配方，所以把院墙加高加固了。"

虎鲨抱着吊在半空中的番茄凑头闻了闻，忍不住张开嘴巴，咔嚓咬了一口，鼓着腮帮子含糊地说："唔唔，好吃！味道真不错，哈哈！"虎鲨咧开沾满番茄汁液的嘴巴呵呵大笑。在光线昏暗的蔬菜棚里，虎鲨的齿缝间、嘴角边沾染的番茄汁却赫然醒目，红得吓人。

查理纵身跳到虎鲨手臂上，好奇地伸长脖子对番茄嗅了又嗅，竟然也伸出舌头舔食起来。

"让我也尝尝。"扶幽也想要凑过去品尝。

多多一把拉住他，没好气地提醒："喂，别光顾着吃，不要忘记我们进来的目的。"查理好像听到了什么，突然竖起耳朵倾听，将头转向通道一端。小伙伴们意识到有情况发生，马上会意地安静下来。查理低吠了一声："有人进来了……是朝这边来的。"

"快，找个地方躲起来！"多多招呼了一声，立刻跳到花盆后面，扯过旁边的叶子遮住自己。扶幽和虎鲨也用相同的方法躲到通道对面，茂密的绿叶间只露出几双眼睛，警惕地张望着。

通道一端传来细碎的脚步声，夕阳斜照，院子里越来越昏暗，只见恶老太婆佝偻着背，脚步蹒跚地出现在通道一端。

老太婆的装束实在让人不敢恭维，明明年纪很大了，却穿着与自己年龄极不相符的鲜红衣服，脚上穿着一双精致的红布鞋。最让小伙伴们心底生寒的是，老太婆那双像鸡爪似的干枯黑瘦的手里拎着一把青光闪闪的菜刀，锋利的光芒散发着一股来自地狱的阴森寒气，紧紧摄住了伙伴们的心。

到了伙伴们躲藏的地方，老太婆停下脚步扭头张望，口中沙哑地念叨："怪了，刚才明明听见这边有响动的，哪里去了？"啊！多多心中一惊，绿叶丛中的几双眼睛嗖的一下瞬间消失了。老太婆凌厉的目光往周围扫来扫去，抬脚朝多多躲藏处走来。妈呀，要是被老太婆发现，恐怕小命不保！多多的小脸顷刻间变成死灰色，浑身吓得瑟瑟发抖，心里一

遍遍祈祷着：没看见，没看见……

扑通扑通……随着老太婆的脚步越走越近，多多的心都快从嗓子眼跳出来了。

怎么办？老太婆迟早会发现他的，他可不想当刀下亡魂啊！

干枯黑瘦的手朝多多探去，正要拨开遮挡的叶子，躲在后面的多多惊骇地睁大眼睛，忙不迭地向后退，不敢想象被发现以后所面临的砍脖子还是砍脚的惨状。就在这紧张万分的时刻，旁边突然传来一声娇滴滴的叫声："汪！"

那只黑瘦的手意外地停了下来，老太婆扭头看向旁边："什么声音？"

查理跳出去，立在离老太婆一米的距离处，蹦跳打圈，摇动小尾巴，做出各种各样的可爱模样。

"嗬嗬，原来是你呀，好可爱的狗啊！"老太婆的嘴角边露出难得的笑意，离开多多的躲藏处，朝查理走过去。老太婆俯低身子朝查理伸出手，查理可爱地眨了眨眼睛，转身跳入了一大片半人高的植物丛中。

"不知谁家的狗，看起来好特别啊！"老太婆发了一会儿怔，恍然回神，移动小脚一步一蹭地朝前行去，红色的身影渐渐消失在密密麻麻的绿叶之中。

答案：
Answer

Question 05 Lv. D
谜题五 难度等级

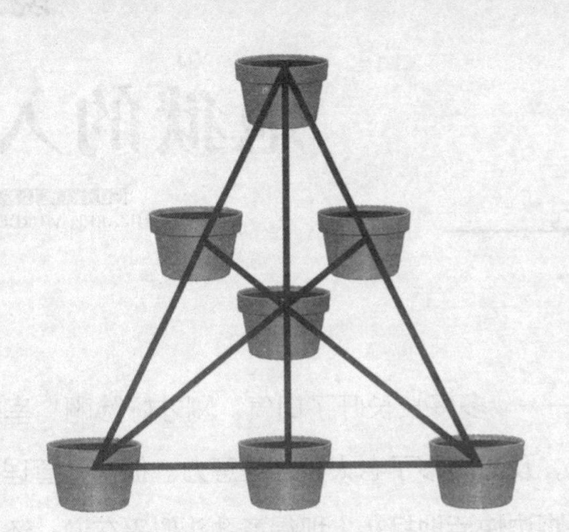

【怎么样，你答对了吗？后面还有更多谜题等你挑战呢！】

FILE 06
镜头六

dì yù
地狱的入口

CHARLIE IX & DODOMO
BIZARRE MURDER BELDAM

“呼——”多多长长吁了口气。刚才好险啊！幸好查理足够机灵，及时转移了老太婆的注意力。很快，查理又溜回到了多多脚边快活地打转，那得意劲头似乎在说：还是我够机灵吧?

等恶老太婆离开，多多和伙伴们纷纷从植物后面钻出来，彼此对视一眼，不约而同地跟了上去。

小伙伴们悄悄尾随其后。别看恶老太婆走得慢吞吞的，

可当小伙伴们转过几株茄子树时顿时傻眼了，站在原地不禁东张西望起来。

这里的蔬菜简直长疯了，宽大肥厚的叶子密密麻麻地向四周伸展，甚至占据了通路的空间，老太婆早就没了踪影。随着光线越来越暗，密不透风的农作物也失去了绿意，渐渐笼罩上一层阴影，一切都变得模糊不清了。这一切让小伙伴们有一种迷路的感觉。

多多完全没了方向感，左看看右看看，着急地一跺脚："她到底去哪儿了？"

"她走得慢，不会走远的，我们分头找找。"扶幽和虎鲨一个往左、一个往右继续深入，很快，两人的身影就消失在了绿叶中。

"这么大的园子要是乱跑肯定会迷路，盲目地寻找肯定不是办法，我们该怎么办呀？"多多用力拉扯着自己凌乱的短发，扭头看向查理，谁知查理正站在一丛花朵旁，闭着眼睛着迷地嗅着。多多生气地叫道："查理，别管那些花了，老太婆不见了！"

查理一副事不关己的神情，慢条斯理地挥了下爪子："汪，这么简单的事情还能难倒未来的大侦探吗？不要给我瞧不起你的理由好不好？"

什么？多多的眉头倏地挑得老高，大有意见地瞪着查

理。查理像没看见似的又转回头，埋头在花丛里嗅呀嗅。多多咬了咬牙，一屁股坐在茄子树的花盆边上，气呼呼地自语:“好吧，没有你查理，我照样能想出办法。”

他的目光无意中落到地面，注意力一下被浅浅的脚印吸引了。脚印？是老太婆的脚印！多多一怔，脑子灵光一闪，眼睛瞬间亮了起来。他忙不迭地从兜里掏出狼眼手电，照向地面，细细研究起来。地上除了他们的球鞋脚印外，还有一串浅浅的布鞋脚印朝对面的叶墙延伸而去。那边明明没有路，脚印为什么在那里消失了呢？

多多跟着线索来到叶墙前，拨开叶墙，用狼眼照去，就意外地睁大了眼：想不到里面还有三条小路，小路两侧的架子上长满了细长的叶子，还有数不清的红果子，就连头顶上也垂下来很多令人口水直流的鲜果。老太婆的脚印就是顺着这三条小路一直向里延伸的，只是不知道应该如何走。多多缩回头细细打量这道叶墙，若不仔细观察，很难发现这其中隐藏的玄机。

多多惊喜不已地招呼查理：“快来看，我知道老太婆的去向了！”

查理平静地踱着步子走过来：“你早该发现才对，想要成为侦探家，你的能力还有待提高啊！”

多多没好气地耷拉下眼皮，哼了一声：“你不过是比我

Question 06 谜题六

难度等级 Lv. C

迷宫

你能找出哪条路是通向中间的大门吗?

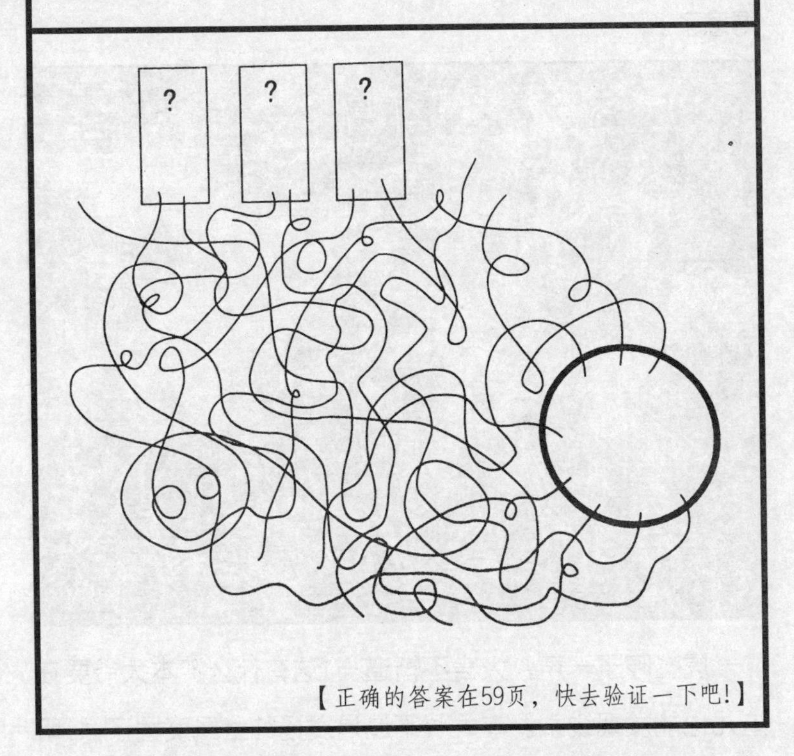

【正确的答案在59页，快去验证一下吧!】

多了一只灵敏的狗鼻子罢了！有什么了不起的，切！”

“多多，我们找不到怎么办呀?”这时，分头寻找目标的虎鲨和扶幽回来了。

“看看我发现了什么。”多多冲他们得意地眨了眨眼睛，晃了晃手中的狼眼。同伴们顺着狼眼手电的方向看去，扶幽惊喜地叫道：“耶，太酷了太酷了！多多你是怎么发现的？”

虎鲨吹了声口哨，忙凑上前往里张望。

“我这侦探家的敏锐眼光可不是盖的哟！”多多别提多得意了。

虎鲨哼了一声，大言不惭道：“这有什么？本大爷要在这儿也能发现线索。本大爷不过是发扬绅士风度罢了。”听了虎鲨的话，多多和扶幽感觉头顶飞过一群乌鸦。虎鲨这家伙几时发扬过绅士风度啊？

“对了对了，我带了手电，先让我找找。”扶幽赶紧从随身的包包里翻找起来，拿出一支递给虎鲨。虎鲨接过来一按，

手电没有任何反应，用力晃了晃，还是不亮。虎鲨不耐烦地瞪向扶幽。扶幽心虚地干笑："没事没事，我还有。"他一下子拿出四五支小手电，自鸣得意地说："多准备点有备无患嘛！"

"嘘，小点声，老太婆就在里面，快走啦！"多多催促了一声。

虎鲨和扶幽赶紧挑了两支能用的手电一人一支，多多率先钻进隐蔽的叶墙，很快，扶幽和虎鲨的身影也从叶墙中隐没。他们一个紧挨着一个小心翼翼地向前摸索，不敢拉开太大的距离，否则前面的人就会被叶子挡住失去踪迹。

多多一边走一边拨着密集交错的树枝和叶子，跟在后面的扶幽不安地缩着脖子，小声说："刚进来时还不觉得怎么样，现在觉得这里阴森森的，怪吓人的。"

"那你看我呢？"虎鲨凑到扶幽耳边故意吹了口气，拖长声音说了一句，然后把手电对照下巴，龇牙瞪眼做了一个鬼脸。扶幽一回头，正好看见虎鲨那张狰狞的面孔，吓得触电般跳起来，没命地尖叫："啊——"

凄厉的尖叫声响彻整个黑暗的菜园子，惊得多多汗毛倒立，手中的狼眼手电差点掉到地上。

"哈哈，胆小鬼，原来你就这点胆啊！"虎鲨手指着脸色发白的扶幽哈哈大笑。

多多眼快手疾，慌忙捂住虎鲨的嘴，用力嘘了一声："闭嘴，里面的人会听见的！"

如果换作其他时候，虎鲨的脾气早就发作了，但是这次，他乖乖闭了嘴，紧张地望向前方不远处。"汪！"查理发出了警报。就在前方几米远的尽头，有个被绿色植物覆盖的半圆型的洞口，原来黑乎乎的洞口渐渐有了淡淡的光芒。光芒越来越亮，像是有人要出来了。

"快躲起来！"多多警觉地低叫。大家赶紧往回跑，一窝蜂地冲出叶墙。跑在最后的虎鲨刚跳出来就栽了个跟头，重重地压在扶幽身上。多多赶紧把虎鲨和扶幽拉了起来，三人屏住呼吸蹲在那道叶墙后面偷看。查理趴在多多脚边警觉地注视着前面的动向。很快，洞口处光芒万丈，老太婆从里面走了出来。她站在洞口，手里握着一盏大号手提聚光灯朝对面照来。

光线透过密密麻麻的叶子照在伙伴们身上，形成斑驳陆离的光点。他们紧张地看着，大气都不敢出一口。

老太婆往周围照了几照，没有发现任何异常，她掏了掏耳朵叹了口气："唉……老了，耳朵不中用了……总是听到一些奇怪的声响……"说着，她转身又回去了。当洞口的光线越来越暗，最后彻底消失时，小伙伴们这才松了一口气。

"你们最好从现在起牢牢闭上嘴，不然会惹出大麻烦

的。”多多没好气地瞪着两个冒失鬼，非常后悔带他们来了。扶幽点头如捣蒜，举手作发誓状；虎鲨也觉得自己的行为有些不妥，不好意思地咧嘴笑着。

多多领着他们穿过叶墙，小心翼翼地摸到洞口，刚推开门，一股带着腐朽气息的阴风从里面吹了出来，吹得伙伴们汗毛竖立。扶幽忍不住打个了冷战：“怎……怎么这么冷啊？这下面多半是个冰窖。”

“闭嘴！”多多和虎鲨同时低喝，扶幽赶忙用手捂住嘴。

在他们吵闹的时候，查理独自朝深处走去。多多看见觉得很是不解：查理怎么表现得这么镇静，竟然一点也不害怕？

里面有条旋转向下的台阶，石洞的墙壁还是最原始的土墙，上面有很多被人用铁锹一点点铲过的痕迹。多多做了个熄掉手电的手势，三支手电齐刷刷熄灭了。他们摸着土墙，顺着台阶一点点往下摸索。潮湿的空气中夹杂着浓重的血腥味，这种气味加重了伙伴们心头的不安感。

“天哪，这是什么地方？到底通向哪里啊？”多多忍不住低问。

越往下，温度越低，小伙伴们感觉像是走进了冰天雪地。下了二十几层台阶后，尽头终于有淡黄的光线发出。“嚓……嚓……嚓……”下面传来有节奏的响动。这个声音多多很熟悉，那是曾经听过的磨刀声。

就在多多慢慢摸着墙壁走的时候，那个飘忽不定的声音又出现了，沙哑的声音带着诱惑的味道在他耳边缓缓回响：

来吧！来吧！这里是人间地狱……闯入鬼门关者，有去无回……

又是这个声音！多多不禁打了个冷战，只觉得一股寒意从脚底升起，迅速向全身蔓延，整个人快被；东结了。这个声音听起来像从地底下发出来的，阴森森的。寒气惊涛般地从下面一团团向上翻涌，快要淹没他们了。

这里到底是什么地方？是谁在警告他？

一种空前的恐惧感袭上他的心头，“扑通扑通”，心脏在剧烈地跳动，多多的脚不受控制地抖起来。

耳边，那个可怕的声音仍在肆无忌惮地蛊惑：

对，就是这样，一步又一步，迈向你们生命的终结……

答案：
Answer

Question 06 Lv. C
谜题六 难度等级

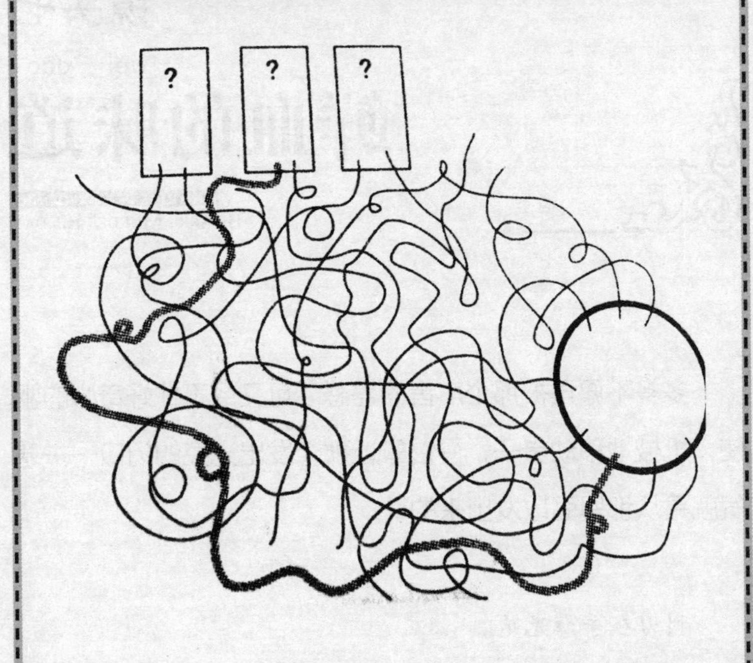

【怎么样，你答对了吗？后面还有更多谜题等你挑战呢！】

FILE 07
镜头七

wèi dào
鲜血的味道

CHARLIE IX & DODOMO
BIZARRE MURDER BELDAM

多多不愿再被那个声音的蛊惑，可又经不住好奇心的驱使，机械地移动步子，慢慢靠近那个发出光亮的门口——寒气就是从那里面散发出来的。

利刃在手血光跑。

好孩子啊睡觉觉，

孤魂一缕无依靠；

埋身黄土睡美觉，

生生世世无烦恼……

老太婆在哼唱着那首可怕的童谣。多多停下脚步，不敢再往前走了。因为下面有个地下室，非常容易暴露自己。小伙伴们贴着墙壁伸长脖子往里瞧，老太婆坐在离门口不远的小板凳上，正背对着孩子们磨菜刀。地下室中间有张宽大的石床，床上被厚厚的冰块垫高了 20 厘米，从门外望进去，伙伴们只能看到冰床一角，只见床上一端露出一双穿着漂亮红色鞋子的小脚。

老太婆一边哼唱着童谣，一边霍霍磨刀，她停下动作看了看刀锋，自言自语地念叨：“这刀太钝了，要好好磨磨才行，这样砍下脖子才不会痛苦……对了，到底杀了多少呢？”老太婆捡起地上的破布擦擦手，站起身走到门口旁的木板前，手指着上面的一道道刻痕细数起来，“29 道了，加上这个，应该有 30 道了。”

多多听到这儿，倒吸了口冷气，只觉得后脖颈阵阵发冷。这个老太婆太狠毒了，竟然夺走了几十条生命！

扶幽吓得身子不停发抖。虎鲨的脸色也不怎么好看，拳头攥得紧紧的。

木板旁边有张圆桌，老太婆伸手掀去覆盖在上面的黑布，一只装了些许鲜红液体的玻璃瓶出现在伙伴们的视线中。多多定睛细看，一颗心倏地直提到嗓子眼，霎时惊呆了。天哪，那……那种颜色……简直红得像血！

老太婆旋开瓶盖摇了摇，一股浓重的血腥味飘了出来，渐渐在空气中弥漫。多多脸上顿时露出惊骇的神色：那分明就是血的味道！

老太婆仰头喝了一小口，嘴边赫然出现一圈令人心悸的血色。她咂巴着嘴，遗憾地叹了口气："只剩下这么一点了，不够吃了，需要再多弄一些才行啊！"

扶幽的呼吸声变得粗重起来，他凑到多多耳边哆哆嗦嗦地小声问："快走，我们出去报警，被她发现就完蛋了！"扶幽一抬脚，不小心碰到了脚边的小石头，石头滚下台阶发出"啪啦"一声，细小的声音在寂静的通道里听起来那样清晰。扶幽身体明显一僵，非常惊慌地看向小伙伴们。

Question 07 谜题七 Lv. A 难度等级

神秘液体

原来老太婆所喝的神秘液体是有挥发性的，到第二天就会变成原来的 1/2 瓶，第三天变为第二天的 2/3 瓶，第四天又变成第三天的 3/4 瓶。到今天已经过了十天，瓶子里还剩下多少呢？

【正确的答案在67页，快去验证一下吧!】

“谁？谁在那儿？”老太婆十分警觉地转回头，猛地发出一声厉喝。

不好，惊动老太婆了！多多的头皮都发麻了，手捂着嘴巴差点叫出声。

“啊！”扶幽浑身颤抖不已，双手抱着头，发出一声尖叫。

映在门外的影子弯下腰，捡起了地上的菜刀，晃动着往门外冲来。伙伴们还没来得及反应，就见老太婆突然出现在门口，她右手举着锋利的菜刀，左手拎着一支强力射灯朝台阶跑来。一看到贴着墙壁发抖的孩子们，那张泛着死气的青色面孔顿时变得异常扭曲狰狞，混浊的双目爆睁，恶狠狠的目光竟是那样犀利可怖，简直不像人类的眼神。

老太婆张着嘴，喉咙里发出奇怪的咯咯声，骤然将紧握的菜刀高高举起。

多多被这突如其来的状况吓得头发倒竖，小腿发抖，完全忘记了反应；扶幽一屁股跌坐在台阶上，惊恐地睁大眼睛；就连胆大的虎鲨也紧贴着墙壁一动也不敢动。通道里骤然响起一句疾声高喝：“多多，快跑！”

一团软乎乎毛茸茸的东西撞在多多的小腿上，多多顿时惊跳起来，跟同伴们一起撒开腿没命地往上逃。

“卑鄙的偷窥者！我要拧断你们的脖子，砍下你们的

头！”沙哑阴冷的嗓音不断从下面传来，似尖叫，似厉吼，就像从地狱里传来的勾魂摄魄的声音，分分秒秒撕扯着孩子们快要绷断的脆弱神经。

“救……救命啊！”狭窄的空间里响起一阵惊惧的尖叫。

伙伴们不顾形象，连滚带爬地往上狂奔，身后的灯光越来越亮，脚步声一直在耳畔回响——杀人的老太婆就要追上来了。

眼看着老太婆就要追上来了，伙伴们吓得魂飞魄散，不顾一切地向外逃，冲出了地下室入口。他们像没头的苍蝇一通乱窜，竟然误打误撞地穿过前厅，逃出了院子。

一直冲到院子门口附近的大榕树后面，伙伴们高悬的心这才放下来，停下脚步呼呼喘气。扶幽和多多累得上气不接下气，干脆一屁股坐在地上休息。虎鲨胆子大一些，贴着树小心地探头张望。

扶幽喘着粗气惊骇地问：“我的天哪，你们看到没有？那个婆婆在喝血，这……这简直太可怕了！”

“喝的还是人血，这才是最可怕的地方。”多多颤着声说道，努力让惊慌失措的自己镇定下来。

虎鲨回过头，粗气粗声地咬牙道：“岂有此理，那个婆婆分明是杀人犯，警察竟然轻易放过了她！”说着，紧握的拳头重重击打在树干上。

多多靠着榕树，有气无力地挥了一下手："幸好查理出声报警，不然我们就惨……"说到这儿，多多突然想起来什么似的慌忙左右看看，失声尖叫，"妈呀，查理呢？"

小伙伴们通通傻眼了：查理没跟上来？

虎鲨突然想到了什么似的说道："糟糕，我刚才跑出屋子的时候，好像踢到了什么东西，该不会是查理吧？"多多的小脸顿时变黑了。虎鲨平时一脚的威力就大，赶上逃命的时候，那一脚还不踢飞查理的半条命？多多想也不想地要往回赶："我们不能丢下它，我回去找一找。"

扶幽和虎鲨谁也不忍心看到聪明可爱的查理有生命危险，于是二话不说跟着多多一起行动。他们摸到院子门口处小心地探头张望，果然看见屋门旁边有一团白色的毛茸茸的东西，多多仔细一看，脱口而出："是查理！"他冲查理低声召唤，"查理，快过来！"

查理失去了往日的欢腾劲头，全身蜷缩成一团，神情木然地望着伙伴们。

扶幽纳闷地挠挠头："查理怎么了？不会被虎鲨那一脚踢伤了元气吧？"

"闭上你的乌鸦嘴！"虎鲨凶巴巴地瞪了扶幽一眼，底气不足地解释，"本……本大爷……又不是有意的。"扶幽吓得一溜烟闪到多多身后，生怕触怒虎鲨的火暴脾气。

“查理！查理！”多多提高声音，又叫唤了几次。

谁知查理却像没有看见似的，将头转向屋内。咦？多多感到十分迷惑：查理这是怎么了，它向来特别活跃，现在却笨笨傻傻的，听见叫它也不回应，这是从来没有过的事啊！

答案：
Answer

Question 07 Lv. A
谜题七 难度等级

【怎么样，你答对了吗？后面还有更多谜题等你挑战呢！】

FILE 08

镜头八

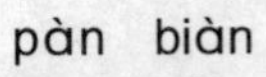

查理叛（pàn）变（biàn）了

CHARLIE IX & DODOMO
BIZARRE MURDER BELDAM

这个时候，原本黑漆漆的屋内渐渐有了光亮，老太婆拎着射灯从里面追了出来。多多和同伴们“嗖”地一声缩回头紧贴着墙壁，大气都不敢出。强光束从门口射出来晃了几晃，又消失了。小伙伴们悄悄从半掩的门缝里看去，只见老太婆的视线被地上的查理吸引过去，他弯腰抱起了它，奇怪地问：“又是你呀小家伙，你的主人不要你了吗？来来来，抱你去吃好东西。”

邪恶的老太婆竟然很喜欢查理，抱着它进屋去了。

“这下麻烦大了，有老太婆盯着，我们很难救出查理。这可怎么办呀？多多，快拿个主意啊！”扶幽急得迭声叫唤。多多也觉得事情有些棘手，以前遇到麻烦身边总有查理帮着想办法，现在没了军师，他只有靠自己了。虎鲨一把揪住多多的衣领，用力摇晃着大叫：“你，还磨磨蹭蹭地做什么？查理不是你最好的朋友吗？赶紧想办法救它！”

望着在眼前晃来晃去的铁拳，多多忙不迭地点头，颤着声音应道：“那个，现在急也没用，办法要慢慢想才行。”

“那就快想！本大爷不是出主意的高手，但，是教训人的高手。”虎鲨威胁地冲多多晃着他那强有力的武器——铁拳。

多多捡起一根折断的树枝挡着自己，探头往门口瞧，查理自从被老太婆抱进去后就再没出声，里面静悄悄的，也不知是什么情形。“汪！”多多学着查理的声音学狗叫，几声过去，仍然不见有任何反应。虎鲨耐心尽失，拧着眉头冲多多低吼：“我说，你就没一点有创意的点子？不要大白天的学狗叫。”

“汪！”屋里终于传出查理的叫声。

“听，是查理的声音！”多多惊喜地叫起来。

只见查理动作迟缓地走到屋口，站定，抬头望着他们。

多多扔下树枝冲查理打手势，急急催促：“查理，快出来呀，我们等你呢！”查理站在门口却不再向外走一步，只是没有生气地抬头望着他们，发出一阵阵叫声，态度很是反常。

“它到底怎么了？为什么不说话啊？”扶幽莫名其妙地问。多多不解地皱起眉头，不安地猜测道：“难道……它受到了老太婆的威胁？”

除此之外，小伙伴们实在想不到别的原因。查理为什么不肯走出来？它究竟发生了什么事？

行事诡异的老太婆，躺在冰床上的红鞋女孩，还有查理反常的举动……小伙伴们的心头被越来越多的谜团缠绕，隐隐觉得事情超出了他们的想象。

一阵夜风吹过，鬼气森森的屋子静静地盘踞在那儿，散发着莫名的诡异气息……

查理对同伴们的召唤置若罔闻，没有任何反应，它扭头朝屋里望了一眼，移动着四肢要离开。走了几步不知想到了什么，意外地停下脚步。

“查理，你到底在做什么？赶快出来呀！”多多焦急地低呼。

查理一动不动的背对着他们，过了一会儿，它缓缓转动小脑袋朝伙伴们望来。

扶幽惊喜地叫起来："它听到了，一定是听到了！"

查理转过头来，突然，它的表情变得狰狞无比，全身毛发像尖刺似的倒立起来，龇着一口尖利的白牙冲伙伴们发出攻击性的嚎叫，那双原本无神的双目瞬间射出无比凶狠的光芒。它抬起前爪做出一个威胁性的动作，那是查理面对敌人时才会有的凶狠姿态。

恶狠狠的眼神，锋利的牙齿，尖尖的狗爪……查理露出了从未有过的可怕一面。

"天哪，查理的样子好吓人！完了完了，它一定是精神错乱了！它……它不会是把我们当成敌人了吧？"扶幽受惊吓地连声惊叫。虎鲨气急地一挥拳道："我们在担心它，它有没有搞错啊？"

多多非常震惊地睁大眼睛，有些不敢相信自己的眼睛：查理平时再生气也不会对同伴露出这么可怕的表情，难道它被老太婆驯化了，站到老太婆那一边去了？

查理警告了他们一番，掉头进入了屋里。多多和同伴们被查理的变化吓得惊惧不已，也不知如何才能救出查理。就在他们个个束手无策地站在原地发呆时，一个怯懦的声音低低地响起了："那个……发生了什么事？你们……遇到麻烦了吗？"

伙伴们扭头看去，小鱼的脑袋从躲藏的树后小心地探了出来。

“小鱼，你来得正好，快帮我们想想办法！”扶幽急忙把小鱼拉过来，将之前的经历讲给他听。虎鲨也在旁边心有不甘地咬牙道：“这个查理，亏我们以前对它那么好，想不到它竟然叛变了。”

“不，查理没有叛变，它不会那么做的。”多多固执地反驳道。

虎鲨立刻把矛头指向多多，气愤地叫道：“现在你还维护它，没看到刚才它冲我们龇牙的样子吗？那简直是一只穷凶极恶的狗！”

多多握紧双拳愤怒地瞪着虎鲨，断然否认：“不会，绝对不会！我相信查理一定有它说不出的理由。”多多重重喘了口气，低下了头，喃喃地重复，“查理从不骗我，我相信它……”此刻，没有什么比这件事更让多多感到震惊了，他跟查理朝夕相处了那么久，情同兄弟，如今面对这样的情形，他心里比谁都难过。

“你们别难过了，或许我们可以……想想别的办法。”小鱼慢吞吞地劝道。

“你有什么办法？快说！”扶幽急急地问。

小鱼回头看向树后，招呼道：“艾拉，出来！”

要两人合抱才能抱住的大榕树后面，探出一颗小脑袋，

接着一只全身纯白的牧羊犬从树后走了出来。小鱼伸手摸了摸它的头，略带几分自豪地向伙伴们介绍："这是……我的好朋友艾拉，它去过那里……好几次，我们进不去……的地方……它能进去，而且，它的速度非常快。"

"有多快啊？"多多问道。

"给你出个问题，5只艾拉这样的牧羊犬5分钟内能抓5只土拨鼠，用这样的速度，需要几只牧羊犬才能在100分钟内抓100只土拨鼠？"

Question08 谜题八 难度等级 Lv.

需要几只牧羊犬

5只艾拉这样的牧羊犬5分钟内能抓5只土拨鼠，用这样的速度，需要几只牧羊犬才能在100分钟内抓100只土拨鼠？

【正确的答案在85页，快去验证一下吧！】

"太酷了！"虎鲨吹了声口哨，羡慕地打量着艾拉。多多不敢置信地急急问道："它真的可以进去？快让艾拉把我的查理带出来，我们快担心死了！"

"没问题……我跟艾拉……商量一下。"小鱼蹲下身抱着艾拉脖子拍了拍，"你都听到了吧？那就拜托你了，艾

拉。”牧羊犬好像听懂了似的，低头舔了舔小鱼的脸蛋，后脚一蹬，如流星般蹿了出去，冲进院子，消失在黑暗之中。

多多焦急地在原地走来走去，每一秒都变得无比漫长。虎鲨双手抱胸靠着树干，同样一脸不快地等候着。扶幽时不时地抬头望望屋内，忍不住问小鱼：“要是那个婆婆发现了艾拉，不会对它怎样吧？”

小鱼摇了摇头，放心地回答：“不会。那个婆婆……非常讨厌人……却很喜欢小动物……艾拉每次进去……都吃得满嘴油光才出来……”

不久，里面有了新的动静，小伙伴们纷纷伸长脖子张望，只见门口出现一团白影，如风般转瞬间就回到了伙伴们

面前，是艾拉。

“艾拉，找到查理了吗？”多多迫不及待地追问。小鱼拍了拍艾拉的脖子，信任地问：“你一定看见它了是吗？”

艾拉没有出声，抬起头，视线一一从伙伴们身上依次望去，最后停在了多多身上。艾拉低头嗅了嗅小鱼的手，张开嘴，将一个红色领结吐了出来。伙伴们一起凑过来看，多多只看了一眼，就吃惊地叫出声：“是查理发声的领结！”

心头电光一闪，多多突然明白了什么似的叫道：“我知道查理不肯出来的原因了。一定是丢了领结才不肯回来的，它在找这个东西。”

扶幽重重地点了点头，迭声附和道：“对对对，所以它说不了话，总是汪汪叫。”

原来如此，这下伙伴们都明白查理留在房子里的真正原因了。

虎鲨哼了一声，依然不大相信多多的说法：“可是，你们别忘了，就算丢了东西，查理也不该对我们露出那样一副嘴脸，它把我们当成什么了！”

扶幽猜测地小声说：“也许，查理还有别的什么苦衷？”

“看来，只有见到查理才能知道真相……”听了虎鲨的话，多多叹了口气，也觉得此事没那么简单，因为查理的举动实在太奇怪了。

小鱼推了推厚重的眼镜，吞吞吐吐地安慰大家，“你们……别担心………每周四老太婆……都会出门，等她走了就可以……救出查理了。”

小鱼安慰的话让伙伴们心里有了新的希望，现在没有别的办法，只有等老太婆出门再说了。

黑夜降临了，小院更加阴森，小伙伴们还在耐心地等待着。

“吱呀——”寂静的夜色中突然响起了开门声。

“出来了，出来了！”榕树后传来杂乱的响动。陆续地，四颗小脑袋由上到下从树后探了出来。只见老太婆披着黑色的斗篷走出来，宽大的帽檐几乎遮盖了半张脸，只露出削尖的长鼻子和涂了红色口红的嘴唇，脚下仍旧是那双做工精美的红布鞋。老太婆快速扫了周围一眼，转身关上门锁好。叮叮当当……老太婆身上传来清脆的玉石敲击声。

伙伴们的视线很快被老太婆的手腕吸引过去，上面竟然戴着好几只翠绿的手镯，华丽又名贵。

虎鲨忍不住低头吐口水：“呸呸呸，那么老了还打扮得花枝招展的，真是恶心死了！”

老太婆的臂弯里挎着一只竹篮子，上面盖着布，不知里面装着什么。只见那块布动了动，接着一角被高高顶起，一颗毛茸茸的小脑袋露了出来，四下里张望着。

“是查理！”多多发出一声惊呼。

“不好了，它要被老太婆带走了！”扶幽也吃了一惊。原本打算等老太婆出了门再进去寻找查理，这下计划行不通了。查理看到卧在树旁的艾拉，很机灵地朝树后望来，汪地叫了一声。老太婆走了几步，十分警惕地朝身后望来，树后露出的几颗小脑袋倏地齐刷刷缩了回去。

老太婆转了一圈没有发现异常，伸手将查理按回篮子里盖上布，异常苍老的声音沙哑地说道：“嘘，小点声，不许乱叫！”然后，她迈着小碎步，匆匆朝前行去。老太婆表现得非常警惕，走几步就抬头向四周张望一圈，仿佛在提防着什么。

“这大黑天的，老太婆要去哪儿呀？”扶幽奇怪地问。

小鱼茫然地摇头：“这个……我就不知道了，我只知道……她每周四……都会出门。”

“管他呢，我们跟上去就知道了。这个婆婆鬼鬼祟祟地肯定在搞什么鬼。”多多果断地说道。

虎鲨满意地拍向多多的肩膀，用力一按，差点害他摔个跟头：“对啦，有侦探才能的人可不是只有多多哦。本大爷要亲手揭开老太婆的假面具。”

FILE 09

镜头九

古老的医院

(yī yuàn)

CHARLIE IX & DODOMO
BIZARRE MURDER BELDAM

说话间，伙伴们立刻一个接着一个悄悄地跟了上去。

寂静无人的街道，老太婆用黑斗篷把自己裹得严严实实，在楼房和树的阴影中匆匆地走着，如同一个会移动的影子。离她十几米远的地方，几个孩子排成一行正贴着墙边，目光紧紧关注着老太婆的一举一动。

不久，老太婆拐入另一条冷清却明亮的街道，各种霓虹灯争相散发着没有温度的冷光，整条街道冷清得看不到半个

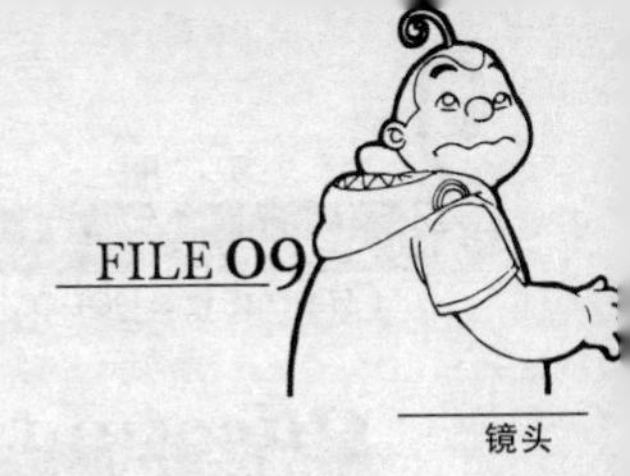

人影，犹如一条空寂的死亡巷道。

“嘎！”一只低空掠过的乌鸦发出难听的嘶叫，落到了老太婆挎着的篮子上。老太婆身子一抖，俯身从地上捡起一根短棍狠狠朝乌鸦打去，一边打一边凶狠地叫：“滚开，你这只该死的乌鸦，滚得远远的！”

“嘎……”乌鸦吓得飞离篮子，在周围低空盘旋，一声声地鸣叫，不一会儿，又有许多只乌鸦飞了过来。

“滚！滚开！”老太婆挥舞着棍子奋力驱赶鸦群。这些乌鸦盘旋了片刻，嘎嘎叫着展翅飞走了。

老太婆喘了口气，更加警惕地转头朝四周张望，把斗篷帽子拉得更低，继续匆匆忙忙地赶路。老太婆似乎戒备着什么，不时抬头看向空中，脚步越走越快。

“你们看，老太婆朝着前面的私立医院去了！”扶幽手指着前方，压低声音提醒着小伙伴们。

不止他，所有的小伙伴都看到了，老太婆进了一扇锈迹斑斑的大铁门，铁门上方的招牌上写着“景峰医院”。这是一幢有着百年历史的老医院，因为年代久远，铁门已经不堪重负地发出吱吱呀呀的怪声，楼体外墙也出现了无数条龟裂的痕迹，靠近楼体的地面长满了潮湿的青苔，一看上去就是沉寂了多年的旧楼。

虎鲨纳闷地眨了眨眼睛：“老太婆该不会是去看病吧？”

Question 09 Lv. 

谜题九 难度等级

闪烁的路灯

街道上只有闪烁的灯光，街道左边亮着6盏100瓦的路灯，右边亮着2盏300瓦的路灯，老太婆应该靠着哪边走路会比较亮一些呢？

【正确的答案在85页，快去验证一下吧！】

小鱼扶了扶眼睛，吞吞吐吐地发表意见："看病可以……白天去，老太婆专捡黑夜行动……有点说不过去哦！"多多望着那幢沉浸在黑暗中的楼房，皱着眉头暗暗思考，怀疑地说道："一般医院都有人值班，可这里所有的窗口都黑着，不像有人的样子。我判断老太婆不是去看病的，肯定另有目的。"

扶幽突然打了个冷颤："我的妈呀，你们有没有觉得那幢楼像鬼楼似的，静得有点诡异，好可怕啊！"

多多也有相同的感觉，那幢残破的旧楼毫无半点人气，随着夜风飘来的薄雾渐渐让楼体变得模糊不清，处处透着一种说不出的诡异气氛，光看着它，就觉得心头发毛。

"别啰唆了，我们快跟上去！"多多招呼了一声，赶紧追了上去。

"艾拉，带路！"小鱼低喝，牧羊犬吠叫着，三步两蹿地冲到了伙伴们前方。他们跑到铁门旁，小心翼翼地探头望去，只见老太婆站在楼道的玄关处，和一个医生模样的人在凑头交谈。那位医生全身处在阴影中，看不见他的面目。老太婆低低说了几句什么，从篮子里取出一个空瓶递给医生。医生点点头，走到门口警惕地看了看周围，然后转身冲老太婆做了个"跟我走"的手势。两人快步走了进去。

看到这里，多多心里越发感到狐疑，压低声对同伴们说:“我敢打赌，那个医生一定是老太婆的同伙。至少医生知道她的秘密，我们走!”说着，她便朝楼内奔去。

同伴们见势纷纷跟了上来。当他们冲进楼内，下一刻又都不约而同地停下脚步，东张西望起来。

“哎，去哪儿了?”

大厅左右两侧都是长长的黑暗走廊，一间挨着一间的办公室，门全都紧紧闭着。多多眼尖，一瞥瞧见右侧尽头闪过一片衣角:“在那里。”

他们放轻脚步快速移动到发现目标的地方，尽头有条楼梯，可上可下。艾拉低头在附近嗅了嗅，好像发现了什么，突然朝下奔去。多多二话不说，果断地跟上去，扶幽他们紧跟其后。

一进入地下一层，多多就闻到了一股刺鼻难闻的味道，那是医院所特有的消毒水味。

这里有好几条通道通往各处，多多从兜里掏出狼眼分别往各处照了照，可是找不到任何线索。“他们走得好快啊，竟然跟丢了!”

“艾拉，现在要靠你了哦!”小鱼蹲下身拍了拍牧羊犬的头。艾拉低头在附近兜转，走走嗅嗅，似乎嗅不到任何线索。小鱼遗憾地摇摇头:“这里的味道太浓了……盖住了所有气味……艾拉可能嗅不出……什么了。”

“有了有了！干脆，我们挨着一间间地搜索不就得了，反正出口肯定是其中的一条通道。你们说是不是？”扶幽积极地建议道。伙伴们相互对视，也觉得目前只有这一个办法可行。虎鲨撂起衣袖，跃跃欲试地嚷嚷：“那就别啰唆了，赶紧行动！”

地下通道上方的冷光灯幽幽地散发着淡淡光芒，这里的一切都是清一色的白——白色的墙，白色的门，就连地上都铺着白色地板砖。在冷光灯的照射下，这里更显得白花花的一片。伙伴们走在其间，谁也没说话，因为这里的气氛实在太压抑，让人有种喘不过气的感觉。

“老天，这里的布置怎么都一模一样？”当拐入另一条通道时，多多忍不住深吸了口气。

扶幽睁大眼睛左看右看，茫然地问：“是呀，我都分不清方向了。我们是从哪个方向进来的？”

虎鲨抱着双臂很不自在地撇了撇嘴：“我真讨厌在这里的感觉！”动作慢吞吞的小鱼落在后面，他一边不安地回头看，一边胆小地摸着脖子，颤着声说：“我……我觉得……这里好……可怕……我们还是……出去吧。”

多多心里也有点儿发毛，因为这里实在太静了，静得连同伴们的脚步声和呼吸声都听得格外清楚。

“查理还在老太婆的手里，我们不能就这么回去，一定要

查出老太婆作恶的证据才行。等等……”多多意外地停下脚步，蹲下身来。就在他们刚刚经过的一扇门前的地上，一小片饼干的残渣吸引住了多多的注意力：“你们看，这是什么？”

伙伴们凑了过来。“这有什么奇怪的？”扶幽纳闷地问。多多侧头回想，一边琢磨一边说道：“我记得……查理从老太婆篮子里钻出来的时候，头上也沾了这样的食物残渣。这会不会是查理故意给我们留下的记号呢？”说着，他抬头看向面前的门，灰白色的门幽幽地散发着朦胧阴暗的光芒，门上一块醒目的金属牌子，上面“禁止进入”四个大字清晰可见。难道老太婆在这里？

多多突然注意到这扇门跟其他的门不一样，别的门是单开，而这扇是对开的，地上还有车轮驶过的痕迹，似乎是个非常重要的房间。

“你们有没有觉得这个房间很特别？”多多扭头询问同伴们。

扶幽眨了眨豆大的小眼，突然咧嘴笑起来，卖弄地啧啧道：“我知道我知道，通常最秘密的场所都会挂着‘禁止进入’的牌子，电视上都是这样演的，嘻嘻。”

“唔……好像是这样……”小鱼慢腾腾地点了一下头。

虎鲨不耐烦地说：“别猜来猜去的，进去看看就知道了，就你们啰唆！”说完，他伸手按在门板上用力去推。

答案:
Answer

Question 08 Lv. D
谜题八 难度等级

答案:
Answer

Question 09 Lv. B
谜题九 难度等级

【怎么样，你答对了吗？后面还有更多谜题等你挑战呢!】

FILE 10

镜头十

jīng hún

惊魂停尸房

CHARLIE IX & DODOMO
BIZARRE MURDER BELDAM

“不要……”多多刚想叫住他，可是已经迟了。“吱呀”，静寂的走廊里响起格外清晰的开门声，门已经被推开了一条缝。伙伴们的心倏地提到了嗓子眼。如果这个时候老太婆和医生出现就糟糕了，毕竟对方是两个成年人，小伙伴们可不是他们的对手啊。

走廊里微弱的光芒顷刻间照射了进去，多多隐约看见里面一排排一列列地摆了无数张带脚轮的床。

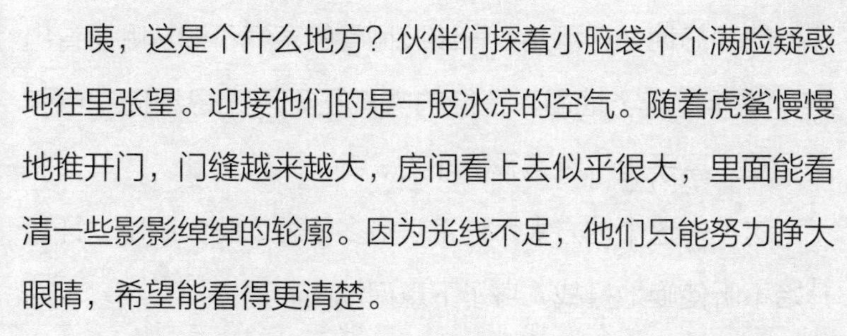

咦，这是个什么地方？伙伴们探着小脑袋个个满脸疑惑地往里张望。迎接他们的是一股冰凉的空气。随着虎鲨慢慢地推开门，门缝越来越大，房间看上去似乎很大，里面能看清一些影影绰绰的轮廓。因为光线不足，他们只能努力睁大眼睛，希望能看得更清楚。

扶幽自作聪明地低声说：“我明白了，这里是医院的库房。”

多多壮着胆子小心翼翼地走了进去。室内的温度很低，黑乎乎的大厅当中摆满了白色床位，放眼望去，数量多得吓人，头顶上方的排气孔不断喷出白色的雾气。不知为什么，这里给人一种阴森森的诡异感觉。

这里的情形让多多忽然想起了学校的大会场，不同的是，这里摆着的不是椅子，而是一张张的床。多多眼睛盯着那些床，脑子不可自抑地发动想象力。突然，他发现离自己最近的那张床上有团黑影。那是什么？多多揉了揉眼睛再次看去，脸上顿时露出吃惊的神情——那团黑影竟然是个人。那个人身子像薄雾般透明，脸朝前，悄无声息地静坐着。

多多屏住呼吸，移动眼珠再往别处一看，浑身顿时激了一层鸡皮疙瘩，大脑嗡地空白一片。

妈呀，每张床上都有“人”，整个房间里密密麻麻地坐满了这些如雾般的人形黑影！它们一动不动的，就像没了灵魂似的静静地坐在那儿。一波波彻骨的寒气不知从哪里冒出来，渐渐覆盖了地面，缭绕的雾气正无声无息地向空中弥漫。整个屋子里气氛诡异得吓人。

这……这个地方太可怕了！多多惊恐地睁大眼睛，牙齿开始不听使唤地打战，身子下意识地向后退去。

“啊！”多多身后的小鱼突然发出一声惊叫。

紧张兮兮的伙伴们被吓得惊跳起来，多多差点被吓掉了半条命，手抚着胸口朝小鱼瞪过去。虎鲨一把揪住单薄的小鱼用力摇动，凶巴巴地警告道：“臭小子，鬼叫什么？快给我闭上嘴！”

小鱼好像看见了什么，眼睛直直地望着前方，整个人像得了癫痫似的剧烈地颤抖起来。

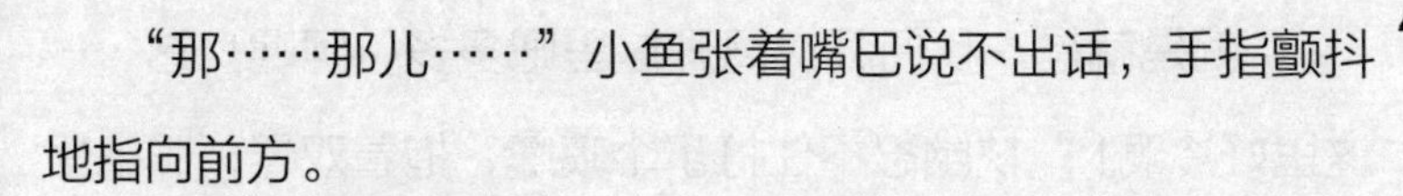

“那……那儿……”小鱼张着嘴巴说不出话，手指颤抖地指向前方。

伙伴们顺着小鱼手指的方向转头望去，一幕可怕的情景出现在伙伴们面前。

小鱼的惊叫把多多吓个半死，眼前的幻觉骤然消失了，但是，当多多顺着小鱼手指的方向看去时，眼前的情形又令他倒吸了一口冷气，刺骨的寒意迅速爬上脊背，整个人犹如掉进了冰窖一般。周围接二连三地响起抽气声。

伙伴们的眼睛已经适应了黑暗，大约能看清前方的情形，多多很快注意到小鱼所指的异象：不远处的床上都盖着白色床单，长长的床单直垂到了床下，床单底下则显露出人的躯体轮廓，分明有人……躺在床上。

多多满脸惊恐地睁大眼睛，声音颤抖地叫出声来：“这……这里不是……库房，而是……停……停尸房！”

伙伴们恍然明白了自己现在的处境，他们竟然误打误撞，无意中闯进了医院最可怕的地方——太平间。伙伴们被这三个字吓到了，个个大气都不敢出。跟死人共处一室的感觉真是让人心底发毛啊！

多多抬头向上看去，怪不得头顶上方不断有冷气冒出，原来是在给这些尸体冷冻，以便于保存。小鱼吓得脸色发白，颤着声央求，“我看……我们还是……出去吧……”

“就是就是，我们赶快离开这里吧多多，阿嚏！这……这里好冷啊！”扶幽忍不住打了个喷嚏，抱着双臂，眼睛里写满恐惧。就连虎鲨也心虚地后退了一步，底气不足地说：“我也觉得老太婆不在这里，没人会跑到这里来……”

要是伙伴们都走了，多多可没胆子继续留在这里。他一把拉住要开溜的扶幽，着急地斥责道：“不行，你们怎么忍心抛下查理不管？亏你们还是男子汉，真是差劲！”

多多故意撇撇嘴，面露鄙夷地看了他们一眼。

果然，虎鲨的自尊心被重重地刺激了。他握紧拳头，嘴硬地大声否认：“谁……谁要走了？本大爷还要亲手揭下老太婆的面具呢！”虎鲨扭头瞪向另外两个伙伴，凶巴巴地挥动拳头，“你们两个，谁敢走，本大爷第一个不饶他，听到没有？”

扶幽和小鱼害怕地挤到一起，望着虎鲨，连连点头。看到这情形，多多转过头，偷偷吐了下舌头：虎鲨果然是个四肢发达头脑简单的家伙，被利用了都不知道……

伙伴们重新壮起胆子，摸着黑在这些床位之间绕来绕去，寻找可疑的线索。“窸窸窣窣”，寂静的室内传来异样的声响。哎……这是什么声音？多多竖起耳朵，寻找声音的来源，小手下意识地去摸兜里的狼眼。细碎的响动越来越近，越来越清晰，小伙伴们个个惊疑地相互对视。明明谁也没有

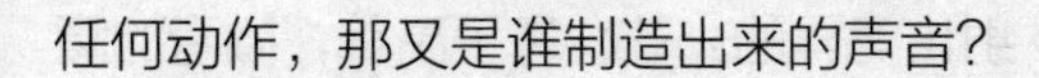

任何动作，那又是谁制造出来的声音？

多多站在最前方，睁大眼睛望向正前方，努力寻找着目标。他感觉得到，那个声音正在朝他们逼近。

“是……是什么……东西？”胆子最小的小鱼小腿在发抖，声音也抖动起来。

虎鲨紧张地瞪着眼睛，扶幽躲在虎鲨后面，只敢探出半个头，两人脸上露着一模一样的惊惧神色。扑通扑通，心神不宁的多多心跳得很快，周围那么多死人，还有不知名的东西在渐渐逼近，恐怖的气氛让人感到窒息。等等，看到了！多多眼睛直直地瞪着，心猛地抽了一下。

黑暗中隐约有个黑影在缓慢移动，酷似人形，可是没有任何肢体动作，就那样直挺挺地朝这边走来。

“妈呀，那……那是什么呀？”多多抽了口冷气，身子控制不住地抖动起来。一个可怕的念头钻入脑海：这里是停尸间，不会是他们的幽灵……出现了吧？

“汪汪！”艾拉朝着前方大声吠叫。

“窸窸窣窣……”它越走越近，小伙伴们惊骇地伫在原地，个个吓得浑身发抖。

“嘶嘶。”空气中传来可疑的声音，就像蛇吐芯子一样。

多多再也不敢迟疑了，慌忙打开狼眼朝目标照去。光晕中，暴露在黑色斗篷下的是一张绿油油的脸，桃核般大的眼睛微眯成细长线状，射出诡异的光芒；鼻子高耸，微弯的嘴角凝着一抹恐怖的笑意，涂过唇膏的嘴唇红得仿佛快要滴出血似的，看上去十分吓人。

这样苍老的婆婆竟然特别喜欢打扮，脸上涂着腮红，耳朵上戴着一对金灿灿的环状耳环，别提有多恐怖夸张了。

她沙哑的嗓音如魔咒般传入小伙伴们的耳朵。

“怎么又是你们几个……想让我怎么处置你们呢？嗯？”苍老低沉的声音中透着难掩的怒气。

“啊，鬼呀！”扶幽和小鱼惊骇无比，跳起来转身欲逃，不幸两人撞在一起摔倒在地。

多多用力咽下口水，颤抖着声音叫道：“是你，那个老太婆！”

“你胆子不小呀，竟然跟到这里来，不怕成为他们其中的一员吗？”老太婆的绿脸变得分外狰狞，恶狠狠地问道。

多多觉得小腿在一阵阵地抽筋，可还是壮起胆子，大声说道：“你这个大坏蛋，别以为我们不知道你做的坏事！我……我才不怕你！”

“小家伙，别坏我的好事，否则你不会有好果子吃的！”老太婆恶狠狠地警告。

虎鲨撸了撸袖子，走到多多身边，冲老太婆一挥自己的铁拳：“还有我，本大爷也不是吃素的！”老太婆那张可怕

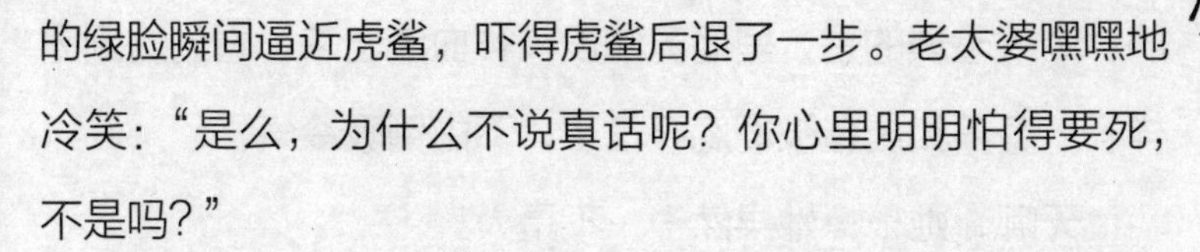

的绿脸瞬间逼近虎鲨，吓得虎鲨后退了一步。老太婆嘿嘿地冷笑："是么，为什么不说真话呢？你心里明明怕得要死，不是吗？"

"你……你……你别过来，不然，本……本大爷就让你好看！"虎鲨惊惧地大叫。

"你这个胆小好事的小胖子，当心我把你变成一只丑陋的耗子，永远生活在暗无天日的地底下！"老太婆一步步逼近虎鲨，厉声威胁道。虎鲨一步步后退，脸色由红变白，由白转青，拳头紧紧握成一团微微抖动着。多多知道老太婆的话重重刺激了虎鲨，他的脾气濒临到爆发的边缘。"怎么？不服气？你就是个胆小好事的小胖子！"

"浑蛋！"虎鲨咬了咬牙，气得浑身发抖，他抡起手臂，拼尽全身力气重重击向老太婆的脸，"你这个丑陋无比的死老太婆，我要让你尝尝本大爷的无敌铁拳！接招吧！"

嗵！铁拳击中了老太婆的脸颊，打得老太婆的脑袋向后仰去，无力地吊在脖子上。

虎鲨呼哧呼哧地喘着气，解气地嘿嘿笑起来。老太婆一声未吭，脖子咯吱咯吱地缓缓转动，快被打掉的脑袋竟然回归原位。只是老太婆的脸严重变了形，五官好像移了位似的倾斜成一个很奇怪的角度，鼻子竟歪到了左眼底下。虎鲨那拳的力道不小，老太婆右颊的皮肤裂开一道口子，黑洞洞的，令人恐惧的是，里面竟然没有鲜血流出来。看到这副鬼样子，多多和虎鲨被彻底吓住了，不由倒吸冷气。

天哪，她……她果然……不是人！

老太婆抬起干枯的手掌，颤微微地抚摸着自己的脸，扶扶歪了的鼻子，移移错位的嘴巴，就像抚平衣服上的褶皱似的，把错位的五官一一摆回原位，那狰狞扭曲的脸总算变得像人脸了。多多他们亲眼目睹了老太婆脸部变化的一幕，脸上露出惊恐万状的表情。

老太婆咧开嘴巴邪恶地笑着，阴森森地说："真不幸，被你们看到了我的秘密。我要杀死你们，除非你们能回答出我的问题！"

多多他们，胆战心惊地说道："你说！"

"明明小时候非常节俭，经常把剩下的蜡烛头拼接起来再用。假设 3 只蜡烛头可以拼接为 1 支蜡烛来点，现在他有 7 支蜡烛头，他最终能拼接几只蜡烛来点？"老太婆阴森地看着多多。

多多一行人，绞尽脑汁，挖空心思地想着，突然虎鲨灵光一闪，说道："我知道了！"

听完他的答案之后，老太婆低沉着声音说道："好吧，今天暂且饶过你们，如果再跟着我，就把你们变成太平间的一员，别怪我没有警告你们。"话音一落，一股邪风扑面，

Question 10 Lv. D
谜题十 难度等级

拼接蜡烛

明明小时候非常节俭，经常把剩下的蜡烛头拼接起来再用。假设3只蜡烛头可以拼接为1支蜡烛来点，现在他有7支蜡烛头，他最终能拼接几只蜡烛来点？

【正确的答案在96页，快去验证一下吧！】

多多他们赶紧闭上眼睛。瞬间，屋里变得异常安静，多多和同伴们睁开眼一看，屋里哪儿还有老太婆的身影？

多多惊跳起来：“不好，老太婆化成青烟逃走了！”

“快，我们快追上去！”虎鲨突然来了勇气，吆喝着同伴们去追。扶幽赶紧叫住虎鲨，结结巴巴地说：“什么什么？不是吧，还要去追呀！”

“她不是人……我们打不过……她的……”小鱼也缩着脖子，怯生生地说。

“哼，胆小鬼，本大爷才不怕她！我会照着她的脸狠狠打上去！”虎鲨挥了挥自己的拳头，信心无比地说。

“对呀，查理还在老太婆手上，我们还要打听出克莱尔的下落，不能让她逃了。我们快追！”多多拉上扶幽朝门口奔去，虎鲨不甘落后地跟了上来。

“等……等等我！”落在最后面的小鱼胆小地看了周围

一眼，领着艾拉，慌忙朝伙伴们追去。

这个行事诡异的老太婆身上藏了太多太多的秘密，绝不能放跑她。小伙伴们在后面奋起直追。

这一场正义与邪恶的较量才刚刚开始……

答案：
Answer
Question 10 Lv. D
谜题十 难度等级
【怎么样，你答对了吗？后面还有更多谜题等你挑战呢！】

FILE 11

镜头十一

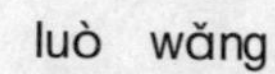

落网的老太婆

luò wǎng

CHARLIE IX & DODOMO
BIZARRE MURDER BELDAM

小伙伴们找到地下一层的出口，飞快地奔上楼梯，空荡荡的医院里只听到他们此起彼伏的脚步声。小伙伴们顾不上害怕，一刻也不敢多停留，想要尽快追上老太婆。

小伙伴们一口气穿过走廊，冲出了医院大门。深夜的街道还是那么安静，一个人影都没有，只能听到自己怦怦的心跳声。还是多多眼尖，一下子就看见东边不远处的大楼阴影里，有一个熟悉的身影正急匆匆地赶路。

“她在那儿！”多多抬手朝那人一指，高声叫道。小鱼冲身边的牧羊犬发出指令：“艾拉，追！”牧羊犬像离弦的箭一般嗖地超过孩子们，朝前方的老太婆奔去。

Question 11 Lv. B
谜题十一 难度等级

追上恶婆婆

眼看老太婆就要逃走了，艾拉和小鱼紧追不舍。老太婆与他们之间还有 20 个栏杆的距离，老太婆的速度是每秒跑过 3 个栏杆，艾拉的速度是每秒跳跃 2 次，每次跳过 2 个栏杆。艾拉要多久能追上老太婆？

“汪汪！”艾拉吠叫着紧追不舍，快要追上老太婆的时候后腿用力一蹬，凌空扑向了目标。“啊！”老太婆发出一声惊叫，躲闪不及，一下子跌倒在地，挎在臂弯的篮子滚到了一旁，里面的瓶瓶罐罐散落一地。老太婆用手艰难地撑起上半身，不知是受伤了还是被吓到了，浑身像寒风中的落叶瑟瑟发抖。

小伙伴们追上来，将老太婆团团围住。

艾拉张着嘴，龇着锋利的白牙一步步逼近老太婆。老太婆吓得脸色大变连连后退，之前的凶相全然不见，显然怕极了艾拉。小鱼走过去拍拍艾拉的头，满意地赞道：“你真是……好样的……艾拉！”

【正确的答案在102页，快去验证一下吧!】

“好哇，总算追上你了！这下你还有什么招式，通通使出来吧！”多多双手叉腰，解气地冲老太婆哼道。

扶幽幸灾乐祸地拍手笑道：“跑呀跑呀，怎么跑你也跑不过艾拉！之前不是挺厉害的吗？这一回终于轮到你害怕了吧？嘿嘿。”

虎鲨撸起袖子，不依不饶地叫嚣：“死老太婆，你竟然敢说本大爷是个胆小好事的小胖子，这笔账要跟你好好算算！”面对步步逼近的虎鲨，老太婆竟然露出一抹畏惧的神情，浑身颤抖得更厉害了。

多多挡在虎鲨身前，大声质问老太婆：“老实交待吧，你到底把克莱尔藏在哪里了？你究竟杀了多少人？地窖里的那个红鞋女孩又是谁？”

“没错没错，还有查理，你把查理怎么样了？”扶幽露出少见的认真模样，也加入到盘问的行列当中。

“汪！”像是回应似的，竹篮里响起一个娇滴滴的声音，只见篮子动了一动，盖在上面的黑布被什么东西顶了起来，很快，一颗毛茸茸的小脑袋露出来。

“查理！”多多惊喜地叫了一声。

查理飞快地钻出篮子跳到地上，抖了抖身上的毛。艾拉好奇地低下头，伸出长舌头在查理头上舔了一下，查理竟被艾拉舔得翻了一个跟头，气得大声叫唤以示抗议。

“啊，对了！”多多突然想到了什么似的，从兜里掏出红色的领结，弯腰扣在查理脖子上的项圈上。熟悉的声音略带埋怨地响起来：“拜托，能不能让这只没有教养的狗离我远一点？弄得我身上湿漉漉的，难受死了！”

“哦哦！”小鱼忙不迭地走过来把艾拉带开，眼睛却好奇地打量着查理，想不到它竟然会开口说话。

多多把查理抱在怀里护着，伙伴们纷纷转回头，将矛头一齐转向老太婆。“赶紧交待你所有的罪行，别以为我们好欺骗！”面对大家的追问，老太婆咳嗽了几声，有气无力地否认道：“恐怕你们找错人了，我不认识什么克莱尔，更没有杀过人。”

“骗人，别以为我们不知道，你每杀一人就在木板上划一道，那块木板上已经有 30 道刻痕了。你分明杀了 30 个人！”多多厉声喝道。

虎鲨也在旁边附和地叫道：“你这个死老太婆，我们都看见你在地窖里藏了人，还想抵赖吗？”

老太婆沙哑地喘息道：“不，你们认错人了，我根本没有杀过人。如果你真那么厉害，就应该知道我……我是……好人。”

“你……你在说谎！”听了老太婆的话，一旁沉默不语的小鱼突然大声打断了他。小鱼死死瞪着老太婆，发红的眼底浮起浅浅一层水花，神情激动地反驳道："你骗得了……别人，骗不了我！黛娜就是……被你害死的……不然你怎么会……穿着黛娜的……红衣裙……还穿着她的鞋子，还住在……还住在她的……房间里面？"小鱼的胸膛剧烈起伏，情绪激动得无法自制。

答案：
Answer

【怎么样，你答对了吗？后面还有更多谜题等你挑战呢！】

FILE 12

镜头十二

黛娜还活着

huó zhe

CHARLIE IX & DODOMO
BIZARRE MURDER BELDAM

多多和伙伴们的目光齐刷刷朝老太婆身上看去，黑色斗篷下果然露出一角带蕾丝的红裙，就连鞋子都是红色的小皮靴。

还说自己不是害死黛娜的凶手，这个老太婆真是太狡猾了！多多生气地大声喝斥："你再不老实讲实话，我们就对你不客气了！"

虎鲨把衣袖捋到肩头，露出小山般结实的肌肉，凶巴巴地威胁老太婆："还想要尝一尝我铁拳的滋味吗？"

艾拉龇着一口森白的利牙，虎视眈眈地一步步朝老太婆逼近，齿缝间不断有涎水滴下来，看似要把老太婆当成美味饱餐一顿。面对一群怒目而视的孩子和一只凶相毕露的大狗，老太婆脸上渐渐露出胆怯的神情，迭声央求："等等，我……我说，我说，但是我说之前，还是要考验一下你们！"

Question 12 谜题十二 难度等级 Lv.

罚款不一

一个人被传唤到了法院，因为他骂邻居是猪，被罚款 200 法郎。"法官先生，上次我同样骂人家是猪，却只罚了我 150 法郎。""很遗憾，我无能为力。"

【正确的答案在108页，快去验证一下吧！】

"这个答案好犀利啊！"虎鲨说道。

"呵呵！"老太婆满脸的皱纹，抽动着。

"快说！"多多和虎鲨齐声喝道。

老太婆低下头，声音颤抖地说："其实……黛娜根本没有死，她活得好好的……"

什……什么？小伙伴吃了一惊，小鱼睁大眼睛不敢相信地惊叫："不……不可能……我……我亲眼看见……你……你杀死了她！"

“她还活着，你看到的只不过是一只死去的黑乌鸦。黛娜迫于无奈想要隐居，不想让别人知道她还活着，谁知，还有人惦记着她，有人想着她……”老太婆低垂着头，声音微微颤抖起来，一颗晶莹的泪珠从脸上滑落下来，啪嗒打湿了地上的石头。小鱼突然猜到了什么，猛地吸了口冷气，结结巴巴地问道：“为……为什么你……你知道这些……”

“因为，我就是……黛娜。”

什么什么？小伙伴们一个个非常震惊地看着老太婆，难道她就是小鱼口中的那个爱打扮的小女孩黛娜？这究竟是怎么一回事？

老太婆缓缓站起身，伸手掀掉帽子，露出一头柔顺发亮的长发。她抬起头，那张绿油油的苍老脸庞映着绿油油的月光，显得更为诡异，嘴角边总是凝着一抹恐怖的笑意。小伙伴们吓得后退了一步，小鱼连声惊叫：“不，你不是黛娜！”

老太婆勾了勾嘴角，自嘲地说道：“我这个样子吓坏你们了吧？”说着，她动手在脸上摸索起来，手一掀，一张绿色的人皮被剥离了下来——面具下面露出一张娇艳欲滴的粉嫩面孔，还有一双水灵灵的迷人眼睛。唯一美中不足的是，黛娜的耳旁有一道非常醒目的暗红伤疤。

“黛……黛娜，真的是你！你没有死？”小鱼激动地冲上前，抱着黛娜上上下下仔细打量。

想不到会是这种结果。多多张大嘴巴愣愣地说不出话来，好半天才发出一声惊呼：“天哪，这到底是怎么一回事？”

急性子的扶幽迫不及待地追问：“就是就是，你干吗要把自己伪装起来？”

“就是，莫名其妙！害得我们都误会你了！”虎鲨不悦地皱起眉头，大有意见地哼道。

黛娜站起来，过意不去地向伙伴们道歉，低声解释道：“我也不想这样，可是，这是唯一的选择，否则我会不可避免地招来一场杀身之祸。”

杀身之祸？伙伴们神情一凛，难道黛娜惹上了什么麻烦？在她身上到底发生了什么可怕的事情？

黛娜的话让伙伴们隐隐感觉到，她正面临着一场非同寻常的危机。急性子的多多忍不住催促道："到底出了什么事？或许我们可以帮助你。"

黛娜不禁动容了，晶莹的泪光在眼眶中打转，她双手捂脸，用力摇了摇头："不，你们帮不了我，你们不会相信的，没有人相信我所遭遇的事情……"

扶幽冲多多使眼色，示意他安慰几句。多多正要开口说点什么，虎鲨不耐烦地跺了跺脚，粗声粗气地说："叫你说就说啦！慢腾腾的真是急死人了，就属你们女孩子最麻烦！"

多多和跟扶幽相互对视了一眼，眼皮耷拉下来，脸上露出一模一样的无奈神情：虎鲨真是不会怜香惜玉啊！

小鱼轻轻碰了下黛娜的手，小脸红红地安慰道："别担心……不管……我能不能……帮到你，我……我都会……站在你……这边。"

黛娜抬起头望着小鱼，非常感动地说："谢谢你。"

小鱼的小脸瞬间像烤得通红的炭，红扑扑的，整个人讷讷地说不出话来。

"看到小鱼有这么多好朋友，真是让我羡慕啊！"黛娜淡淡地笑了一下，也许是想到了自己的伤心事，美好的面庞上很快蒙上了一层阴影。她深吸了一口气，声音沉缓地讲述起自己的可怕经历来。

答案：
Answer

【怎么样，你答对了吗？后面还有更多谜题等你挑战呢！】

FILE 13

镜头十三

塞亚的力量

lì liàng

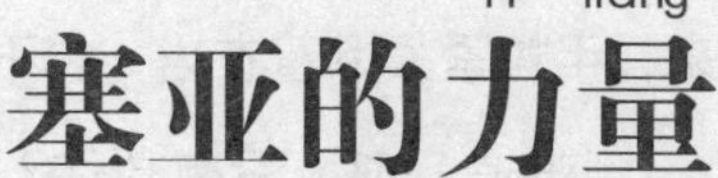

“我遇到的事情实在古怪透顶，到现在我还忘不了那天的事情，就像是昨天刚刚发生过一样……

“那天我和往常一样出门去看望外婆。外婆住在森林的东边，顺着小河往东走要两个多小时，其实那条路我已经走过无数次了，一向都很安全。我沿着河边赶路，林子里的鸟显得格外热闹，叽叽喳喳叫个没完。我抬头朝天空看去，发现空中飞着很多黑乌鸦，密密麻麻的乌鸦几乎遮盖了半个天空。听外婆说看到乌鸦成群不是好兆头，我的心中隐隐有些不安，所以赶紧加快脚步朝前赶路。谁知空中的乌鸦突然俯冲下来，向我发起了攻击。我尖叫着，捡起地上的树枝和石子去驱赶它们，我从来没有想到自己会受到这么多乌鸦的攻击。当时，我吓坏了，跌跌撞撞地一边逃跑，一边喊救命。无意当中，我看见前方不远处站着一个人，他的肩膀很宽，穿着宽大的黑色斗篷，静静地立在那儿，我以为抓住了救命稻草，直直地朝他跑过去……”

黛娜讲到这里，喘了一口气，脸上的神情变得紧张起来，手粒紧紧揪着衣裙，忍不住地哆嗦。

“难道，那人没有救你？”多多猜测地追问，看黛娜的不安表情，似乎她遇到了更可怕的事。

黛娜用力摇头，颤着声音说下去：“因为前面隔着很多灌木丛，看不到周围发生了什么事，等我跑到近前，眼前的情景一下子让我惊呆了。我……我看见那个人手臂高举，张着五指对准不远处的一个女孩。那个女孩脸色发白，手紧紧掐着自己的脖子，一副非常痛苦的样子。更让我吃惊的是，那个女孩的身子在渐渐地离开地面，悬浮在空中。

“我不知道是怎么一回事，隐隐觉得那个穿黑斗篷的男人好像对女孩施了什么魔法，因为那男人全身充满了邪恶的肃杀之气，仿佛要置女孩于死地。我听见那男人对她说了一

句很奇怪的话：‘别妄想重回塞亚，你本就不应该活在这个世上，现在，就让你体内宝贵的鲜血去祭拜暗黑之笼中的无数生灵吧……’”

“什么，塞亚？你确定没有听错？”多多突然听出了什么，吃惊地叫出声来。

黛娜点了点头，多多心里别提有多震惊了，那个穿黑斗篷的人提到了塞亚，那就说明他跟黑暗大王脱不了干系。而他们的目标大多是塞亚中的一员。一想到这儿，多多的心提了起来，紧接着追问：“那后来呢？”

“当时空中的乌鸦全都朝这里聚集过来，黑压压的一片在女孩上空盘旋着，好像是要等待着分享猎物似的。穿黑斗篷的人突然警觉地转过头，朝我这边看过来。我当时吓坏了，好像撞见了什么不该看的秘密。那人打扮得特别怪异，全身都笼罩在一件宽大的黑袍里，黑袍边缘装饰着羽毛状的布条，他的脸上戴有半截长长尖嘴的青色面具，看起来就像一只大鸟。当他朝我看过来的时候，眼神变得无比锋利阴冷，那是一双死神的眼睛。"

"天哪，他不会也想杀了你吧？"扶幽睁大眼睛，脱口叫道。

黛娜深深吸了一口气，肯定地点点头，声音抖得更厉害了："是的，那是我反应过来的第一个感觉：我撞见了他的秘密，他一定会杀死我灭口。我害怕极了，想也不想就转身往回跑。那个男人放下手臂朝我追过来，被控制的女孩身体就像断了线的木偶，软塌塌地倒在地上。我紧张得心都快从嗓子眼里跳出来了，于是拼命地逃，一边逃一边尖叫。他的速度简直不是人，根本不是在地上跑，他张开双臂，整个人竟然像鸟儿似的在低空中飞行，速度快得惊人。我跑呀跑呀，一不留神摔在了地上，转身再看的时候，那人已经从空中降落在了我的面前。

他非常奇怪地打量我，又说了一句奇怪的话：愚蠢的塞亚的人竟然都冒出来了，看来是留你不得了。

我大声呼喊："你才愚蠢呢？"

"哦？你的意思是你很聪明，小姑娘？那我考考你！"

Question 13
谜题十三
Lv. 难度等级 

获胜的可能性

大明和大红玩投色子的游戏，一共有两枚色子，一同投出。如果两枚色子的点数和为 7，则大明胜；如果点数和为 8，则大红胜。试判断他们两人谁获胜的可能性大。

【正确的答案在119页，快去验证一下吧！】

我当时满脑子都是恐惧，一点也想不到。

他看完没有反应，就朝我做了一个动作，就像之前我看到的那个奇怪动作。突然我的口鼻像被人捂住似的不能呼吸了，我倒在地上痛苦地挣扎，以为自己会这样死去了。

就在我奄奄一息的时候，林子里响起一声尖锐的哨声，一支箭瞬间没入了那男人的前胸。我一下子又恢复了呼吸，万分惊恐地朝四周看去，只见不远处有个猎人刚刚放下了手中的弓，原来是他救了我。”

“那个猎人好酷啊，他就是我的榜样，哈哈！”虎鲨咧开嘴，没心没肺地笑起来。

“那个男人受了伤，再也顾不上我，瞬间化成一团黑烟消失了。在空中盘旋的乌鸦们凄厉地尖叫着，也都拍着翅膀四散飞走了。猎人跑过来扶起我，告诉我说那个男人是控制乌鸦的巫师‘黑鸦神’，只是不知道为什么我会被他盯上。

为了躲避黑鸦神的监视，猎人劝我从此改头换面，放弃现在所有的身份背景……”故事讲到这里，黛娜的情绪总算平复了下去，眼中少了几分恐惧。

多多恍然大悟，说：“我明白了，所以你才整天戴着这副人皮面具是吗？”

“那群乌鸦攻击我的时候，我的脸被乌鸦爪子抓伤。为了不让伤口溃烂，猎人送给我一副有治疗作用的人皮面具，戴上它就能够治愈伤口。所以，为了摆脱黑鸦神的监视，我不得已伪装成了老人，”黛娜抬头看向小鱼，带着歉意地说，“对不起，小鱼，其实我知道你来找过我，可惜我不能跟你相认……你会原谅我吗？”

小鱼激动地连连点头，急急地说道：“当……当然，看到你……平安无事……真是太……太好了！”

多多突然想到另一个重要的问题，赶紧问了一句：“对了，黛娜，那个被黑鸦神攻击的女孩呢？她怎么样了？”

“我摆脱了危险之后，赶过去看那个女孩。那个女孩还有一点呼吸，但是一直昏迷着。猎人怀疑她可能被黑鸦神伤到了脑子，需要长时间的静养才能恢复意识。所以猎人帮我把她背回了家，我将她藏在后院的地窖里。为了避开乌鸦的监视，我特意在后院种满了蔬菜，不放一只乌鸦进来。还好，那个女孩一直平安地活到现在。”黛娜如释重负地吁了口气，

脸上露出少许疲惫的神情。

“所以你见了乌鸦就驱赶，生怕走露了消息。”多多终于明白了整件事情的经过，最让她牵挂的是那个神秘女孩的身份——她会不会就是小鱼见过的克莱尔呢？“黛娜，你知道救的女孩是谁吗？”

黛娜茫然地摇摇头：“我只知道，她是黑鸦神的目标。我还有一种奇怪的感觉，好像我跟她是同一类人……这么说你们可能很难理解。”

多多眼中放射出惊喜的光芒，他激动地咧嘴笑道：“我懂，我能理解，哈哈！”

黛娜凭的是塞亚人特有的一种直觉，这么说来，不止黛娜与塞亚有关，多多更加肯定的是，被救的女孩就是他要找的安公主之一——克莱尔。太好了，事情开始往好的一面发展了，真是值得期待啊！

听完黛娜讲述的故事，多多心里乐开了花，不知道眼前的黛娜究竟是塞亚里的谁呢？

“汪！”查理也显得非常激动，围着黛娜活蹦乱跳，不停地摇动着小尾巴。扶幽、小鱼和虎鲨围着黛娜七嘴八舌地追问着什么。多多朝查理打了一个手势，等查理奔过来，他蹲下身小声地询问：“你觉得她会是谁呢？”

查理眨了眨狡黠的眼睛，故意卖关子：“这个嘛……要

你自己动脑筋想哦，现在是发挥你这位大侦探智商的时候了。”

“切，不说就不说，我自己想！”多多趁查理不备，伸手在查理头上弹了个爆栗以示不满。查理抗议地大声叫唤，但很快就安静下来，因为它看到多多正双手抱胸，抬头望着天空认真思索着。查理的眼中露出几许欣慰与期待的光芒，微微晃了一下小尾巴。这个精力旺盛的行动派多多最近越来越爱动脑筋了，果然如爷爷所说的，只要耐心培养他，总有一天，多多会成为一名出色的侦探家和冒险家。

多多哪里知道查理的心思，他脑子里兜转着各种念头，黛娜喜欢穿红衣裙，爱打扮，还有个外婆……所有的焦点似乎都集中在……对，多多眼睛一亮，眉头顿时舒展开来，惊喜地叫道："我知道了！”查理满意地汪了一声，亲热地舔了舔多多的手。多多马上解下背后的包包，从里面取出那本《塞亚的咒语》。沉寂多日的塞亚终于迎来了新的成员，这本书仿佛有所感应似的闪了几闪，又归于平静。

“那些黑乌鸦终日都在窗户前飞，总想窥视我的动静……”正在回答伙伴们各种各样问题的黛娜突然打住，手抚着胸口，疑惑地转头寻找着什么。

“哎哎，你怎么了？丢东西了？”扶幽奇怪地问道，赶忙跟同伴一起往地上看来看去。

“不，好像有什么东西在召唤我，好奇怪的感觉……”黛娜也说不清是怎么一回事，很快，她的视线就被多多手中的那本书吸引过去。黛娜像着了魔似的目光有些发直，不由自主地移动脚步走到多多面前。“这本书……”

多多站起来，笑眯眯地展示给她看：“这是一本很神奇的书，如果你是塞亚的一分子，就能感觉到它的召唤。”查理跳到多多肩头，又顺着手臂跳到书上，低头用鼻尖翻到黛娜那一页，抬头望着黛娜。多多和查理都期待着奇迹发生。

黛娜的脸上露出复杂的神色，像是害怕又像是满怀着期待。她激动地说道：“是的，我……我能感觉到……”她颤抖地伸出手，摸向那本书。

当黛娜的手触碰到书的那一刻，书散发出柔和的光芒，黛娜手背上的细小伤疤竟然奇迹般地痊愈了。光芒顺着手臂渐渐向上蔓延，继而包围了她全身。黛娜惊奇地低头打量自己，不可思议地叫道：“好奇妙的感觉……我觉得自己好像变得有力量了！”

一股无形的力量自黛娜脚下爆发，呈圆形向四周扩散开去，草木跟着晃了一下，只是一瞬，一切平静如初。

伙伴们似乎感觉有些迟钝。小鱼茫然地看向大家，结结巴巴地问：“刚刚……是怎么……一回事？”

“是风吧，好像刮了一阵风过来。嗯嗯，似乎是的。”扶

幽挠了挠头，同样也是满脸不解。

虎鲨迟钝地拍了拍胸口，瓮声瓮气地撇了下嘴：“反正感觉怪怪的，让人不舒服。”

似乎多多的感觉比他们更敏锐一些，他清楚地看到了黛娜发生的变化，他把目光移向黛娜的脖子，开心地叫起来：“你们快看，黛娜的伤疤都不见了呢！”

查理连连点头，同样感到无比欣喜。黛娜下意识地摸向自己耳边，惊喜地吸了口气：“真的，真的不见了！”

多多神气地挺起胸膛，笑眯眯地说：“那当然，我就说这本书很不一般吧。”

虎鲨睁大眼睛瞅着多多手中那本《塞亚的咒语》，脸上满是怀疑的表情。多多连忙把书装进包包，戒备地跟虎鲨拉开一步距离。虎鲨好像发现了什么似的，虎着脸瞪向多多：“喂，你不跟我解释解释这是怎么回事吗？那本书……”

“这本书是……是我爷爷的，谁也不给。”多多生怕虎鲨把书夺走，连忙躲到了黛娜的身后。

“不对，那本书有问题，赶快交出来！”虎鲨又露出了小霸王的本来面目，凶神恶煞地朝多多扑过去。黛娜手捂着嘴哧哧地笑。多多一个跟头摔在地上，急声高叫：“查理，快救我！”

虎鲨的手刚抓住多多的包包，突然一道白光闪过，虎鲨哎哟一声，触电似的缩回了手，手背上赫然多了一道血痕。虎鲨瞪着眼睛抬起头，只见查理站在多多肩头，示威地晃了晃自己的利爪，一脸挑衅的神情。

虎鲨见是查理所为，悻悻地嘟囔了一句："又来欺负我，疯狗太郎！"

答案：
Answer

Question 13 Lv. A
谜题十三 难度等级

【怎么样，你答对了吗？后面还有更多谜题等你挑战呢!】

FILE 14

镜头十四

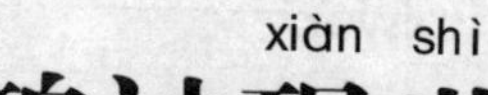

xiàn shì
鸦神现世

CHARLIE IX & DODOMO
BIZARRE MURDER BELDAM

这时，黛娜突然下意识地抬起头，朝头顶的树枝望去，密集的树叶中间，一双暗红色的眼睛正灼灼地盯着他们。黛娜脸色大变，惊叫起来："糟了，是乌鸦！"

黛娜刚喊出声，那只乌鸦就扑棱着翅膀从树中飞出，在孩子们头顶上方低空盘旋。想不到这里潜伏着黑鸦神的爪牙，多多赶紧弯腰，从地上捡起石头朝乌鸦打去，生气地叫起来："滚开，你这只臭乌鸦！"其他小伙伴纷纷跟着他一起

用石头打乌鸦。乌鸦发出一声难听的鸣叫，展翅朝远方飞去。

“不好，是黑鸦神的爪牙！我还有事，先走了。”黛娜显得非常紧张，顾不得捡篮子就匆匆忙忙地往家赶。

多多招呼着伙伴们赶紧追上去，扶幽边跑边一头雾水地追问：“怎么啦怎么啦？不过是一只乌鸦嘛，有什么好紧张的？”

“你这笨蛋啊，那只乌鸦知道了黛娜的秘密，肯定是去向黑鸦神报信了，那克莱尔就危险了。”多多急急地说道。

“可是……我们不是……黑鸦神的对手……怎么办？”小鱼非常担忧地说道。

虎鲨不屑地扫了小鱼一眼：“切，本大爷才不怕！见了黑鸦神，我会对着他的脸狠狠给他一拳，走着瞧吧！”

“嘎——”空中传来嘈杂的鸟鸣声，越来越多的乌鸦聚集在伙伴们头顶上空盘旋，时不时飞下来一只狠狠啄向伙伴们。黛娜带着多多他们避开公路，拣狭窄的街巷奔逃。当冲出巷口拐向一条上坡路时，黛娜的脚步突然停了下来，脸上露出惊恐的神色：“黑鸦神……”

伙伴们齐刷刷停下脚步，纷纷抬头看去。只见坡上飘来阵阵雾气，雾气中隐约露出五个人的轮廓。大家神情紧张地将视线投向对面那群外形奇特的家伙。中间的那个人头顶尖尖的，上宽下窄，身形比其他人显得更高大，就像一只大鸟站在地上似的。

一阵风吹开了薄雾，渐渐地，五道身影从雾中显露出来，为首的高大身影穿着带羽毛的黑斗篷，黑袍还加半截青铜面具，正是黛娜口中所说的人物——黑鸦神。

另外四个人用宽大的黑斗篷将自己裹得严严实实，如木头人一般静默地站在那里。

一股冰凉的肃杀气息，从静立的五道黑影身上散发出来，仿佛空气都凝结住了。

Question 14
谜题十四 难度等级 Lv.

乌鸦

黛娜从没见过这么多乌鸦，她吓坏了。不通过计算，你能不能快速指出是朝左的乌鸦多还是朝右的乌鸦多呢？

多多的注意力很快被中间那位黑鸦神吸引过去了，警觉的眼睛微微眯了起来，他心里暗暗想道：原来他就是暗害克莱尔和阻挠拯救安公主计划的那个暗黑巫师。

小伙伴们哪里见过这样的阵仗，一个个吓得大气都不敢出，惊惧地站着。或许同伴们不清楚黑鸦神是什么人，但多多心里非常清楚，他跟黑鸦神的爪牙过招不止一次了，这次，恐怕是他遇到的最强的对手了。

镜头 14 鸦神现世

【正确的答案在129页，快去验证一下吧！】

“久违了，墨多多，本座已经等候你们多时了，哈哈哈！”为首的黑鸦神勾了勾嘴角，发出一阵阴森森的冷笑。

哎，他认识我？多多努力克制着紧张的情绪，不甘示弱地叫道：“黑鸦神，你这个作恶多端的坏家伙！”

虎鲨深呼了口气，上前一步来到多多身旁，凶巴巴地冲黑鸦神嚷嚷：“喂，你……你这个像丧门神的大块头，别以为本大爷会害怕你哦！”说着，示威似的展示着自己强有力的拳头。

黑鸦神鄙夷地斜了虎鲨一眼，嘴角勾起一丝不屑的笑意。突然，他双目暴睁，一股无形的暗黑气势瞬间如火焰般自他身上迸发出来，向外散发着难以言喻的恐怖气息。

“我的妈呀！鬼呀！”扶幽吓得惊跳起来。多多紧张地看着黑鸦神，一颗心扑通扑通跳得厉害。黛娜的脸色发白，有些魂不守舍。小鱼身子一晃便倒在地上昏过去了。艾拉低头在主人的脸上舔来舔去试图唤醒他。就连胆子最大的虎鲨，脸上也不免露出惶然不安的神情，下意识地后退了一步。

想不到黑鸦神的恐怖气势就足以震慑人了。

“汪！”看到小伙伴们都吓傻了，查理一个箭步冲到前面，张开一口尖利的牙齿冲黑鸦神咆哮着。查理扭头鼓励多多说道：“别怕，别忘了你也是黑鸦神忌惮的人，拿出你的勇气来！”

不管怎么说，经历过各种冒险事件的多多比其他同伴要多些经验。多多鼓足了自己的勇气，目光坚定地点点头。

“嗵嗵嗵……”多多仿佛又听到了熟悉的鼓声，他惊奇地转头看向身后的背包：“是那本书！”似乎每当遇到危险时，《塞亚的咒语》都会发出有节奏的鼓声。听到这个声音，紧张的多多竟然感到不那么害怕了。

“愚蠢的人类，你们以为这样一个个解救人质就能够与我为敌吗？”黑鸦神嘲讽地看向多多。旁边的黑衣人狂妄地笑起来，附和道：“是啊，敢跟黑鸦神大人作对的人简直就是自不量力嘛！哈哈哈！多多，还记得我吗？”

“嗯？听起来，这么狂妄无耻的声音的确有点耳熟呢。”多多双手抱胸，没好气地耷拉着眼皮，故意拖长音哼了一声。

只见说话的那个人大手一抓，扯开身上的斗篷，斗篷下面露出一张熟悉的面孔：银白色的倒立短发，竖领束腰战斗式长袍，耳朵戴着夸张的首饰，脸上挂着玩世不恭的邪笑。

“艾文！”多多非常意外地叫出声。

这个家伙，当初在夺命岛曾被约翰一箭射中心脏，原以为他会有所收敛，想不到又出来作恶了。多多的目光移向艾文敞开的马甲内，只见他胸膛部位裹着纱布，看来伤还没好利索。

艾文优雅地欠了欠身，阴阳怪气地说："谢谢你还记得我，也谢谢约翰那一箭没有射中我的心脏。多亏我的心脏长在右边，没有想到吧？哈哈哈！"

查理抬起前爪擦了下鼻头，不屑地翻了翻白眼："是啊，想不到脾气还是那么不知道收敛，简直无可救药！"

"别跟他们废话了！"黑鸦神抬起手臂，张开手掌对准多多和伙伴们，阴森森地说道："阻挠本座的人通通不可活！黛娜，你早该是死去的人了，本座不介意再送你一程。就让你们这些无知的人类领教一下本座的厉害吧！"

查理突然警觉地大声叫道："汪，大家小心！"

黑鸦神话音刚落，一股夹杂着薄冰的寒风从他的手掌心射出，呈旋风状朝孩子们袭来。多多忙低下头，用胳膊遮挡。冰冷刺骨的寒气迎面扑来，感觉像掉进了冰层，冷空气吸进肺里痛得几乎不能呼吸。

"啊，好痛！"伙伴们传来接二连三的惊叫声。锋利的冰片划到了他们裸露在外的皮肤，转眼之间，伙伴们的胳膊上、脸上、腿上布满了伤痕。

"救命啊！"黛娜和扶幽抱头蹲在地上拼命叫喊。艾拉卧在小鱼身前替主人遮挡疾风和冰片。虎鲨用手护着头，吃惊地嚷道："活见鬼，好端端的怎么会有寒风呢？我不是在做梦吧？"

伙伴们被寒风团团围困在中间，动弹不得。

看到大大小小的冰块正在脚下快速堆积，多多脸上露出不可思议的神情，惊声大叫："怎么办，查理？这样下去我们会被冻住的！"查理被风吹得一个跟头滚到多多脚边，赶忙用前爪抱住多多的鞋子。

"黑鸦神用的是暗黑魔法，快用塞亚的咒语对付他！"查理急急地叫道。

"什么？塞亚的咒语？我不会呀！"多多一边大叫，一边搜肠刮肚急急地想着对策。《塞亚的咒语》那本书他都看过了，里面那些看不懂的文字他根本不会用，到底哪句能破解黑鸦神的魔法？正在伙伴们快要顶不住的时候，突然，紧紧包围他们的凛冽寒风骤然减弱了。

咦？多多感到有些意外，抬头看向四周。

想不到另有一股力量在抵抗暗黑力量，黑鸦神不由得睁大眼睛，吃了一惊："怎……怎么会这样？"

一轮强劲的寒风吹过，黛娜已经昏了过去，扶幽和虎鲨喘息着从地上站了起来。查理好像看到了什么，惊喜地叫起来："我们得救了，是那本书在发挥作用！"书？多多连忙回头看向身后，只见背包正散发出一圈柔和的橘黄色光芒，光芒所照到的地方，风劲骤减。伙伴们不由得朝多多靠近，大家背靠背聚拢在一起。

“不，这不可能！怎么会有力量和我抗衡？”黑鸦神感到十分震惊，立刻用双手加倍施法，两股更强劲的寒风化作两条冰龙咆哮着朝孩子们飞去。

完了，这一回死定了！多多面如死灰，惊恐地望着呼啸而来的冰龙，小腿一阵又一阵地抽筋。眼看着冰龙张开大嘴，摆出要把多多吞下肚子的架势。情急之下多多放声高喊：

借光明之力量，赐吾等信心与神力灭黑暗之咒，临兵斗者！

一道金色光柱从多多的背包里射出来，伙伴们周围瞬间形成半圆状保护圈，同时巨大的光柱朝冰龙扑去，直袭黑鸦神面门。

黑鸦神长袖一挥，勉强用冰龙抵挡了光柱，但是脸上掩饰不住极度的震惊。黑鸦神又惊又疑地低语：“不可能，那小子年纪这么小怎么会塞亚咒语？难道……塞门被解印了？”

答案:
Answer

【怎么样，你答对了吗？后面还有更多谜题等你挑战呢!】

FILE 15

镜头十五

黑鸦神的使者

shǐ zhě

CHARLIE IX & DODOMO
BIZARRE MURDER BELDAM

多多十分惊奇地看着自己的双手，不敢相信这是真的，他竟然破解了黑鸦神的暗黑力量。

黑鸦神发觉形势不妙，心想：我可不能栽在这个小子手里，便脚底抹油准备开溜了。“他们几个就交给你们了。”黑鸦神扭头对属下匆匆发号施令。

左右黑衣人躬身行礼，艾文赶忙提醒道：“黑鸦神大人，这么轻易就要放过他们啊？上次我胸口中了一箭，还等着您替我报仇呢！”

“留下你们几个对付这些孩子们就足够了，本座另有急事要去见黑暗大王。”说罢，庞大的身躯瞬间化作一股青烟，消失了。

终于有机会狠狠整治这帮孩子们了，艾文得意地拿眼神扫向身边的干将，准备放开手脚大干一场。他抬手朝多多一指：“目标，进攻！别怪我心狠手辣，一个不留！”

小伙伴们刚刚为黑鸦神的快速离开而感到庆幸，松了一口气，没想到紧接着又面临新的威胁。

多多正准备跟伙伴们合作，击退艾文及其党羽，转向那群黑衣人时，脸上却露出惊骇的表情，手指着对手颤声惊叫：“妈呀，那……那是一个什么怪物？”

伙伴们扭头一看，艾文旁边那几个黑衣身影竟然像水纹似的波动起来，迅速流向了地面，化成一摊会活动的影子。瞬间影子急剧聚拢在一起，化作三只体型巨大的乌鸦腾空而起。

“嘎——”

多多非常吃惊，简直不敢相信自己的眼睛：几个大活人转眼之间变成了乌鸦？

“妈呀，他们是人还是鬼啊？”多多哆哆嗦嗦地叫道，刚刚准备好的战术也忘得干干净净。

“不好，他们要发起攻击啦！”扶幽发出一声惊叫。

只见三只乌鸦像一发发炮弹般朝伙伴们射来，用坚硬锋利的尖喙狠狠戳向孩子们的头。

Question 15 谜题十五 Lv. B 难度等级

三只乌鸦

三只乌鸦投射在地上的影子看起来一样大，哪只乌鸦体型更大呢？

“啊，臭鸟！”

“滚开，丑陋的家伙！”

“快，我们用石头打它们！”

多多和扶幽飞快地从地上捡起石头打乌鸦，虎鲨则用一根粗树枝在空中抡来抡去，咬牙切齿地吼道：“你们这群坏家伙，本大爷要打得你们满地找牙！滚开，快给本大爷滚开！”

三只乌鸦动作十分灵活，总能避开小伙伴们的进攻。

唔？好嘈杂的声音……昏倒在地上的黛娜缓缓地睁开眼睛，很快就被眼前的紧张气氛吓得心惊肉跳，赶忙撑起身子急声叫喊：“多多，你们要小心呀！”

“黛娜！”不远处传来一声高喊。

【正确的答案在136页，快去验证一下吧!】

多多扔出手中的石头，扭头朝发音处看去，一个身穿白大褂的年轻人，手拎弓箭正朝这边大步赶来。咦，那不是在医院门前跟黛娜接头的那个医生吗？

黛娜回头一看，惊喜地从地上站起来，冲那个方向挥动手臂："在这里，科里，我在这里！"

医生停下脚步稳住身形，动作娴熟地搭弓放箭，一支支箭凌空射来，瞬间刺入了乌鸦的胸膛。两只乌鸦被击毙，一只惊叫着仓皇逃窜，转眼间就没了踪影。

医生的出现，使紧张的局势立刻逆转，他帮伙伴们击退了凶猛的乌鸦。一直在旁关注战势的艾文，脸上露出不敢相信的表情，吃惊地瞪大了眼睛："不……不可能！什么人这么厉害，竟然能杀死黑鸦神的使者？"

这位突然出现的医生赶到孩子们身边，打量着他们，关心地询问："你们都还好吧？"

黛娜欣喜地点点头，又担忧地望向地上的小鱼："我们都没有受伤，只是小鱼他……"

医生快步来到昏迷的小鱼身边，弯下腰，用手指试了试小鱼的鼻息，松了口气道："他只是受到惊吓昏过去了，不碍事的。"说着，他站起身，抬头朝对面的艾文望去，眼睛微微眯了起来，"那个人是谁？"

多多没好气地冲艾文呸了一声，说："他呀，是黑鸦神身边的爪牙，也是个无耻之徒。我在夺命岛的时候，就是他一直带人追杀我和我的伙伴们。真是可惜，上次让他逃了，没能一箭射死他。”

“对了对了，医生，你最好用箭射他的右胸，他的心脏长在右边。”扶幽忙不迭地献出妙计。医生沉着地点点头，抽了一只箭搭在弓上，瞄准了艾文。艾文脸色微变，那人绝对会毫不留情地射杀自己。艾文脸上露出几分怯意，下意识地向后退去，又恍然想起了什么，大叫起来：“不，你不是普通人，你是猎人。”

不是普通人？多多心思一动，扭头朝医生看去，难道……他也是塞亚的？

此刻，医生身上显出一股与恶魔对抗的正气。

医生目不转睛地盯着艾文，凛然喝道：“我警告你，离孩子们远点，不然，我的箭随时会穿透你的心脏！”

艾文抬手摸向自己受伤的左胸，似乎惧怕另一支箭将带给他的痛苦。他咬了咬牙，哼哼道：“好吧，今天先饶了你们，下次你们就没那么幸运了。”

医生毫不迟疑地射出一箭，艾文手一挥，化成一只巨大的乌鸦扑棱棱地飞向高空。“嘎！”空中传来难听的嘶叫，像是在警告他们。

答案：
Answer

Question 15 Lv. B
谜题十五 难度等级

【怎么样，你答对了吗？后面还有更多谜题等你挑战呢！】

FILE 16
镜头十六

被抓到船上的克莱尔

zhuā dào

CHARLIE IX & DODOMO
BIZARRE MURDER BELDAM

看到艾文逃走了，小伙伴们提到嗓子眼的心终于缓缓回落。多多兴奋地跳起来，挥动手臂发出胜利的高喊："耶，我们赢了！我们把乌鸦赶跑了！"

向来爱抢功劳的虎鲨不失时机地炫耀道："多亏有本大爷，不然你们早就吓得尿裤子了，哪还有力气对付它们，嘿嘿！"

医生来到小鱼身边蹲下身，从兜里掏出一个奇怪的小瓶子，将它在小鱼鼻子底下晃了晃。小鱼猛地睁开眼，一边挣扎一边磕磕巴巴地惊叫："怪……怪物，有怪物！"

黛娜轻轻握住小鱼的手，小鱼一下子被黛娜的笑容所感染，小脸倏地红了。

"啊，"黛娜突然想起什么，站起来挽住医生的手臂，笑眯眯地说，"忘了给你们介绍。当年我被黑鸦神抓住的时候，就是他救了我，他就是那个猎人。"

"大哥哥，你怎么知道我们遇到麻烦了？"多多好奇地问。

猎人拍了拍多多的头说："我看见天空有乌鸦聚集，就跑出来看看，想不到竟然真的遇到了你们。"

"幸好你及时赶到呀，不然我们就惨了。万幸呀万幸呀！"扶幽拍着胸膛长长吁了一口气。

猎人淡淡地笑了一下，说："我想，黑鸦神突然攻击你们肯定有什么原因，你们一定不可以掉以轻心。好了，我还有别的事情，先走一步，后会有期。"猎人好像有急事的样子，跟小伙伴们招了招手，急匆匆离开了。

就剩下小伙伴们的时候，多多恍然想起一件事，哎呀叫了一声："糟糕！黑鸦神拦截我们绝对有阴谋，恐怕克莱尔要出事了！"一句话惊醒在场所有人，伙伴们只顾着高兴，忘了更重要的事了。

"赶快回去看看！"伙伴们一窝蜂跑了起来，朝黛娜家的方向赶去。

多多和伙伴们冲进半掩的院门，穿过厅堂来到菜园子，眼前的情景让他们猛地停住了脚步，目瞪口呆地打量着四周。之前的菜园还是枝高叶茂，吊满了五颜六色的果实，无数蝴蝶飞舞其中；而现在，头顶上方的花架散落下来，蔬菜根被拦腰扯断，花盆翻倒，整个菜园被人破坏得一片狼藉，就像被龙卷风席卷过了。

不好，出事了！伙伴们心中同时浮起不详的预感。

“汪，大事不妙！”查理的声音竟然也微微紧张起来。

“糟了，一定是黑鸦神来过这里了！”多多惊叫。伙伴们匆匆赶往菜园地窖，黛娜一进门就刹住了脚步。“啊！”他一声惊呼。紧随其后的多多和伙伴们冲过来一看，大家的心都凉了；冰床上空空如也，显然，克莱尔被人带走了。

“我们来晚了一步！”多多惊吼道。

虎鲨生气地一拳捶在冰床上：“这帮可恶的家伙！本大爷要为克莱尔报仇！”

怎么办？多多心急如焚。克莱尔就是他要找的安公主，千万不能落到黑鸦神手里啊！他着急地一跺脚：“我们要赶紧想办法救出克莱尔，不然她一定会有危险。”

“可是可是，我们又不知道她被带去了哪里，怎么找呀？”扶幽挠着头，为难地说。

“汪！”查理突然俯低身子，对着冰床底下一阵狂叫。

“查理，你发现了什么？”多多刚问出口，忽然听到冰床底下传来一两声难听的鸣叫。多多掀开床单一看，一只乌鸦从角落里扑棱着翅膀朝楼梯通道飞去，嘴里叼着一块发黑的烤肉。

“烤肉，好香啊！”虎鲨吞咽着口水说道。

“怎么会有烤肉呢？”扶幽说道。

“可能是邻居约翰逊先生吧！”多多说道。

“如果约翰逊的烤肉架上只能放 2 片烤肉，他的妻子和女儿都是饥肠辘辘，急不可耐。而烤一片肉的两面需要 20 分钟，因为每一面都需要 10 分钟。我可以同时烤两片，所以花 20 分钟就可以烤好两片。再花 20 分钟烤第三片，全部烤完需要 40 分钟。那怎样做能够节省 10 分钟时间呢？”虎鲨在嘴馋之余，不忘考一考多多。

Question 16 谜题十六 Lv. D 难度等级

节省时间

如果约翰逊的烤肉架上只能放 2 片烤肉，他的妻子和女儿都是饥肠辘辘，急不可耐。而烤一片肉的两面需要 20 分钟，因为每一面都需要 10 分钟。我可以同时烤两片，所以花 20 分钟就可以烤好两片。再花 20 分钟烤第三片，全部烤完需要 40 分钟。那怎样做能够节省 10 分钟时间呢？

【正确的答案在143页，快去验证一下吧！】

多多突然想到什么，眼睛一亮，手指着乌鸦叫道：“有了，我们跟着它，一定能找到克莱尔！”说着，他一头冲进了漆黑的旋转通道。

扶幽匆匆对小鱼说：“你留下照顾黛娜，我跟虎鲨去看看。”

三人一狗紧紧追赶着空中的乌鸦，他们穿过三条街区，一直追到江边码头，个个几乎跑断了腿。“它去哪儿了？”多多突然找不到乌鸦的行踪了，赶紧招呼同伴们寻找。空中传来乌鸦的怪叫声，却看不到踪影。虎鲨站在原地东张西望寻找着目标，多多朝扶幽伸手：“快给我望远镜！”

“哦哦，对，对！”扶幽赶忙从包包里掏出望远镜递给多多。多多调整焦距在码头仔细寻找，突然手指着一个地方叫道：“找到了！那边有艘船，我看见乌鸦飞进去了，那里还有人正往船上搬东西。”

码头所有的搬运工都休息了，这时候怎么还有人工作呢？多多注意到，那两名搬运工的装扮十分怪异，清一色的黑色紧身衣，头上套着黑色丝袜，两人正小心翼翼地搬着一个大木箱往客轮上运。另有两个人站在船头左右张望，似乎在把风。

多多现出疑惑的神色，稍加思索，紧皱的眉头舒展开来，坚定地说道：“克莱尔一定就在那艘船上。”

“给我看看！”性子急的虎鲨一把从多多手中夺过望远镜急急看去。多多毫不迟疑地跳下高台，朝着那艘大船跑去。

“多多，等等我！”扶幽忙跟了上去。

那个箱子被搬上船后，四名黑衣人进了一间小屋。多多和伙伴们偷偷摸进客轮，在一堆箱子后面躲了起来。虎鲨取出自己的得意宝贝窃听器，将天线对准几米外的那间屋子，伙伴们一起把耳朵凑近听筒。听筒里面传出几个人的话音。

“主人，箱子已经安置好了，我们把箱子放在杂物室了。”

“很好，把船开到江心，然后把那只木箱扔进江里，事成之后，不会少了你们好处。”

“遵命，主人！”

咦？这个声音……听起来好耳熟啊！多多猛地想起那个叫“瓦妮莎”的中东女孩，想不到她也在船上。

听筒里又传出艾文的坏笑。“这下黑暗大王就该放心了，一沉入江底，公主就再也不会苏醒了。真想看到多多那小子暴跳如雷的样子，哈哈！”

多多忍不住从鼻腔里发出一声轻哼，心里暗暗想道：我才不会让你们如愿。多多碰了碰扶幽和虎鲨，压低声音说道：“时间不多了，趁他们还没开到江心，我们赶紧去杂物室。”

说动就动，多多和伙伴们立刻离开躲藏地，朝客轮后端跑去。

答案：
Answer
Question 16 Lv. D
谜题十六
【怎么样，你答对了吗？后面还有更多谜题等你挑战呢！】

FILE 17

镜头十七

sū xǐng

睡美人苏醒

CHARLIE IX & DODOMO
BIZARRE MURDER BELDAM

为了救出克莱尔，多多和伙伴们在客轮尾部展开了紧急搜索。“汪，跟着我走！”查理循着木箱留下的蛛丝马迹一路追踪，带领小伙伴从尾端的楼梯跑下去，一直跑到了最底层，最后一道铁门拦住了他们的去路。多多打开狼眼手电，从铁门上方的小窗口照进去，只见里面是一间又一间的货舱区，里面的行李架上塞满了各式各样的行李箱和货箱，中间的通道上停着几辆微型行李运输机。“瞧见没有，这里就是

专门存放游客行李的地方。”多多用手电照了照门，门上钉着一块不锈钢标牌，上面果然写着“货舱区”。

“没错没错，我猜克莱尔一定被他们藏在这里了。”扶幽确定地点点头。

“好，这大铁门就交给我！”虎鲨舒展胳膊，猛地跨前一步，双手用力抓住铁门使劲往里推。他咬紧牙关使出全身蛮力，大铁门真的一点点缓缓开启了。多多和扶幽赶紧在旁边帮忙。三人合力终于成功地将铁门推开了一条小缝。“赶快进去！”伙伴们侧着身子，依次从铁门溜了进去。

“哇，这里的东西真多啊！”伙伴们站在铁门前放眼一瞧，不约而同地发出一声惊叹。这里的布置让他们感觉像是进入了某家大型超市。不同的是，这里的货架上摆满了大大小小的行李箱子，乌压压的，一层层直摞到顶部，放眼望去，犹如一片行李森林。伙伴们走在货架中间的通道上，一个个提心吊胆地四处张望，走得小心翼翼。

多多一边东张西望，一边暗暗担心行李架经受不住重量垮塌下来。

“天哪，这里这么大，我们要怎么找？你们觉得他们会把克莱尔藏在哪里呢？”扶幽忍不住发问。

满屋子的行李让人无从找起，虎鲨有些不耐烦，瓮声瓮气地说：“哼，全是行李，哪有藏人的地方？”

查理走走停停，不停地嗅着线索。它抬头望着前方肯定地说："克莱尔一定藏在这里，只是她的气味一过门口就消失了，真是奇怪！"

"哎哟！"走着走着，多多突然被货架上突出的木箱绊了一下。他回头一看，脑海里突然跳出两个黑衣人搬运木箱的情形，恍然间，他惊喜地叫出声："我知道了！你们还记不记得，那伙人说要把木箱沉到江心去？我猜克莱尔一定被藏在木箱子里了。快，我们赶紧找到那只木箱！"

伙伴们立刻散开，沿着不同的通道分头寻找，不放过任何一只可疑的箱子。他们一路小跑着查找每只箱子，可是所有箱子上都打着标签，并且密封完好。搜查完整个货架区，伙伴们也没有找到那只可疑的箱子。

"见鬼了，他们明明把箱子搬了进来，难道还飞了不成？"多多拉扯着自己半长不短的乱发，着急地说道。突然查理警觉地低叫了一声："嘘——好像有人过来了。"

外面传来杂乱的脚步声，小伙伴们赶紧躲到了货架后面。只听铁门那边有人疑惑地问："这里面哪有动静？我们听错了。咦，这门怎么是开着的？"

"一定是你又忘了关门，你这个脑子呀！"另一个声音不满地斥责。

货架后面探出三个小脑袋小心地张望，只见有人把铁门

重新关上，咔嗒一声上了锁，脚步声渐渐远去。等他们走远，伙伴们从躲藏的地方走了出来。多多松了口气，催促道："幸好他们没有进来检查。快，我们继续找！等船到了江心，我们就没机会了。"

扶幽泄气地摊开手："我们都搜遍大半个货舱区了，一点眉目都没有。"

听扶幽说话的时候，多多也在暗暗琢磨：是呀，还有什么地方是没搜过的呢？多多扭头打量周围，无意中视线从某个角落扫过去，突然，他发现了什么东西似的，眼睛定定地停在某处。咦？那里好像有什么东西。多多用力揉了揉眼睛，再次望去，只见距离铁门不远处的黑暗墙角放置着一堆东西，上面用黑布盖着，从形状来看似乎是一个箱子。因为角落光线昏暗，不仔细看很难发现那里有东西。

扶幽注意到多多的异样表情，伸手在多多眼前晃了晃："喂喂，赶快回魂呀！你又发什么神经了？"

多多拨开扶幽的手，移动脚步着魔似的朝那边走去。他走到箱子旁停下脚步，用手一指："你们看这个。"

随后跟来的扶幽和虎鲨很快也注意到角落的东西。"咦？这堆东西怎么放在这里，还用黑布罩着？"扶幽用手挠了挠头，纳闷地问。伙伴们都感到很奇怪，所有的货物都整齐地放在货架上，只有这一件放在这里。查理十分灵活地跳到箱子上低头嗅了嗅，眼睛顿时亮了，兴奋地叫起来："我闻到了熟悉的气味，是克莱尔身上的味道！"

"掀开来看看！"多多招呼虎鲨一起把盖在上面的黑布掀起来。很快，两只上下摞起的长方形箱子暴露在伙伴们的视野中，最上面的正是黑衣人抬上船的那只箱子。

"找到了，就是它！"多多眼睛一亮，顿时惊喜地叫出声来。因为箱子摞在上面，伙伴们决定先把它搬下来，于是虎鲨一人抬着箱子一端，多多和扶幽合力抬着箱子的另一端，三人使出吃奶的力气，终于把箱子搬了下来。往地板上放的时候，箱子猛地一震。箱子上涂着阴森恐怖的骷髅头图案，骷髅头的眼洞里闪着阴森的幽光，似乎想要把人的灵魂吸进去。

"赶快打开，救出克莱尔！"虎鲨急叫道，一边用力掀开木箱盖，可是，箱盖丝毫打不开。

"这个箱子被锁了。"多多指着箱子上的密码锁道。

Question 17
谜题十七
Lv. 难度等级

电子密码锁

木箱上扣着六边形的电子密码锁，旁边是一个输入数字的按键。小伙伴们一同思索，总算是找到了这个规律，得出空缺处的密码数字。输入数字后，果然听到"啪嗒"一声，锁开了。你知道图中密码锁的空白处应填什么数字吗？

【正确的答案在154页，快去验证一下吧!】

“让我打开箱子！”虎鲨兴奋地搓了搓手掌，小心地掀开沉重的箱盖。果然，一个美丽的女孩静静地躺在里面。“哇！”伙伴们不约而同地发出一声惊叹，睁大眼睛仔细打量着这位睡美人：一头火红耀眼的波浪长发披散在箱底，女孩身上穿着浅粉色的束腰公主裙，脖子上佩戴着一枚硕大的橙色宝石，露在外面的小手和小脚洁白无瑕，仿佛是用白玉雕刻出来的。

“汪，克莱尔的睫毛在动！”查理欣喜地低叫了一声。

多多高兴地笑了，不敢相信地说：“哇，她该不会是快醒了吧？”四双眼睛目不转睛地观察着这个睡美人，都闪烁着期待的光芒。只见克莱尔的睫毛微微颤动着，眼皮终于缓缓睁开，清澈的眼睛出现了几秒钟的茫然，却又很快被眼前的孩子们吸引过去。“这是哪里？我……我怎么会在这里？”

“你终于醒了，克莱尔！”多多高兴极了。

“你是……”克莱尔疑惑地看着多多。多多指着自己的鼻头，迫不及待地介绍道：“我叫墨多多，是山姆和拉墨族长拜托我们寻找你的。啊，对了，他们是我的小伙伴。”多多转身向克莱尔分别介绍了扶幽和虎鲨，轮到查理时，查理冲着克莱尔频频叫唤，快活地摇动着小尾巴。

克莱尔从箱子里坐起来，回忆着什么。“山姆？”突然，克莱尔想到了什么，扶着箱子紧张地问，“啊，山姆现在怎

么样了？他还好吗？”

“放心吧，他现在很安全，倒是你，正面临着一个大麻烦……”多多将自己和伙伴们去黛娜假扮的老太婆家打探消息，一直到摸上大船找到克莱尔等事情，通通讲给她听。克莱尔用手捂着额头，脸色微微发白，回忆了片刻，喃喃自语道：“是的，我想起来了。那天我正跟山姆在海上玩，突然被一股邪风卷到空中，我感到头很昏。等到再醒过来的时候，我发现自己在山林里，很害怕，慌里慌张地四处乱走，结果遇到一个十分可怕的人……”

“他是黑鸦神，就是他们把你装进木箱……”没等多多把话说完，扶幽点头如捣蒜地抢话说：“就是就是，他们还要把你沉到江底呢。”虎鲨咬了咬牙，拧着麻花眉气咻咻地哼道：“一群邪恶的浑蛋！”

“汪，事不宜迟，我们现在先离开这儿。”查理果断地说道。咦？克莱尔好奇地望着查理，她还是第一次看见会说话的狗呢！多多把克莱尔从箱子里扶出来，跟伙伴们正要离开，突然，寂静漆黑的货舱里传来异样的声响。“嗡……嗡……嗡……”这声响就像声音透过空气发出的震动声。

“什……什么声音？”多多紧张地看向四周。查理向后退了一步，那双蓝荧荧的眼睛里隐隐现出几分不安，声音中透着紧张：“小心，他来了！”

“什么什么？谁来了？”扶幽不解地追问。

多多的心嗵地一跳，一颗心直提到了嗓子眼，屏住呼吸紧张地向四周张望。隐约感觉到一股浓浓的邪恶气息在蔓延，不用问，他的心头已经有了答案，多多脱口而出说道：“黑暗大王来了。”

不知从哪儿冒出丝丝缕缕的雾气，弥漫了整个货舱区，雾气封锁了他们的视线，周围什么也看不到，整个世界仿佛只剩下了他们几个人。

浓浓的邪恶气息弥漫了货舱大厅每个角落，吓得伙伴们相互靠在一起，一个个睁大眼睛紧张地向四周看去。

“黑……黑暗大王是什么东西？比黑鸦神还厉害吗？”虎鲨握着两个拳头，摆出拳击者的姿态，两眼沉不住气地往四处瞟。

“他是世界上最邪恶最卑鄙无耻的人，我想他的样子一定很丑陋。”多多一想到在幽灵船上第一次看到的那张面孔，心里就毛毛的，厌恶感丛生。

宽敞的货舱内骤然响起一声尖锐凄厉的叫声，像是痛苦的号叫，又像是极度愤怒的尖啸。这绝不是人发出的声音。多多只觉得身上一个个鸡皮疙瘩直往外冒，脊背阵阵发寒。伙伴们胆战心惊地挤靠在一起，个个脸上露出惊恐的神情。

“好可怕的叫声……”克莱尔紧抓着多多的手臂，浑身

直发抖。

“黑暗大王……发怒了。”查理的声音微微颤抖起来，眼中的恐惧越来越浓厚。多多低头看向查理，恐惧对查理来说是从未有过的事，而现在，它就像是遇到了天敌，那样的惧怕感是从骨子里透出来的，丝毫无法抗拒。

“等等，那……那是什么东西？”扶幽眼睛直直地盯着前方，小手颤抖地指过去。浓雾里似乎多了一团令人胆寒的黑影：他细细长长的，飘浮在空中，头部像篮球那么大，腰部细得简直不可思议，就像一条巨蟒悬浮在空中。多多的心狂跳起来，心头一阵发怵。黑暗大王该不会是一条巨蟒吧？

缓慢飘浮在空中的雾气突然像怒云般迅速翻腾扭转，浓浓的雾气卷着那团黑影朝伙伴们这边逼近。“他……他过来了！”多多的心一阵阵地发紧，牙齿开始不听使唤地上下打架，只觉得一股刺骨的寒气正从脚底板向上蔓延。呼——裹着雾气的那团物体猛地破雾而出，朝这边扑来。

倏地，多多的瞳孔爆圆了十倍，惊惧地看着前方，全身血液直冲头顶。

答案：
Answer

Question 17 Lv. C
谜题十七 难度等级

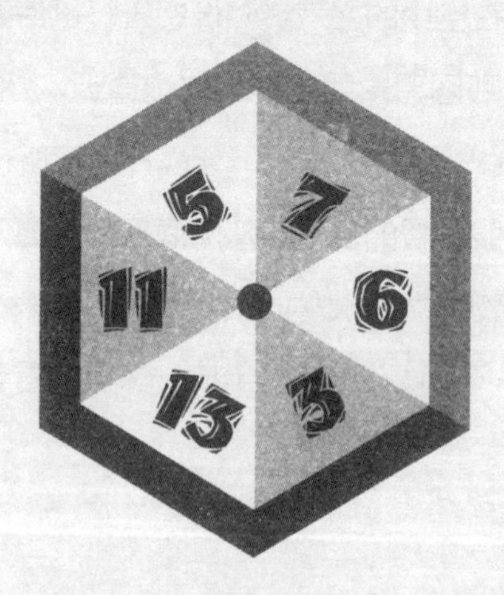

【怎么样，你答对了吗？后面还有更多谜题等你挑战呢！】

FILE 18

镜头十八

陷入冰窖(bīng jiào)

CHARLIE IX & DODOMO
BIZARRE MURDER BELDAM

“哇！”多多忍不住发出一声凄厉的惨叫。黑暗大王竟然没有身体，只是一团浓厚的黑雾。更令多多惊惧的是他的脸部——就像是毫无瑕疵的白瓷面具，却是一张扭曲盛怒的暴戾面孔。

他直冲着多多扑过来，多多还没来得及出声，耳朵里先是听到了扶幽和虎鲨的尖叫声：“啊！”惊叫过后，两具身体直挺挺地倒在了地上。黑暗大王从小伙伴们的头项上方飞速掠过，然后在空中像是游龙一般浮动着。克莱尔吓得叫不出声了，只能呆愣愣地睁着两只无神的眼睛。

“你们知道我想要什么，把它交出来，交出来！”一声威严空洞的厉喝从雾气中传来，震得多多耳鼓嗡嗡作响。

多多吓得魂飞魄散，抬头望向空中，黑暗大王那双红通通的怒目在黑暗中显得灼灼醒目。多多哆哆嗦嗦地拒绝道：“不，那……那不属于你。”

“交出来，交出来！渺小的人类也敢跟本座为敌？”黑暗大王暴怒，那张白瓷脸猛地降下来，拖着长长的浓雾般的身子，围绕着多多和克莱尔飞行，“如果你们不交出来，本座就取走你同伴的性命。现在二选一，告诉本座你的答案！”

多多硬着头皮喊道:“你敢接受我的挑战吗?你先回答出我的问题吧!”

多多继续说道:“你看到角落里撒的豆子了吗?把它们放到一个碗里,再给你两个空碗,要求你在十分钟之内把红豆拣到一个碗里,把绿豆拣到一个碗里。”

“汪!”查理龇牙咧嘴,冲黑暗大王叫道:“你无权夺走人类的生命!”

“克莱尔,快交出你的宝石!不然,我会一个一个地毁灭你们!”黑暗大王的声音越来越不耐烦。

克莱尔惊恐地抱着双臂,小手颤微微地将项链从脖子上取下来,拖着半截银链子举到空中:“想要宝石就拿走,但不要伤害他们。”

“哈哈哈哈……嘀嘀嘀嘀……”黑暗大王狂妄地大笑,声音顿时变得十分柔和,充满了某种诱惑力,“只要你交出宝石,本座绝对不会伤害他们……”

“汪,不要!”查理急忙大叫。

“不可以,不要交给他!”多多脸色大变,劈手去夺那枚宝石,同一时间,一股浓浓的黑烟包围了多多和克莱尔。就在这时,船身突然歪歪斜斜地剧烈摇晃起来,“啪嗒!”一颗闪着橙色光芒的宝石从黑烟中滚落到地板上。“宝石,我的宝石!没有人能与本座抗衡,哈哈!”黑烟中传出黑暗大王的狂笑。

“查理，快捡宝石！”多多高声急叫。一道白影从黑烟中倏地掠出，闪电般朝宝石扑去。

宝石掉落的地板，突然像电影特效似的化成了水波，一只黑色大手从水波中伸出握住了那枚宝石。不好！查理大惊，眼神瞬间变得无比坚定，那是一种视死如归的神色。它迅速扑过去，张开嘴巴狠狠咬住那只黑手。“啊！”那只巨大的手掌颤抖了一下，猛地揪住查理的脖子死死掐住，黑暗大王恶狠狠地叫嚣着，无情的声音冷到了极点，“蠢狗，本座本来想要饶你不死，你却偏偏往死亡地狱里面跳，本座这就送你下地狱。”

“查理！”多多大惊。

克莱尔用手抱着头惊叫：“不要伤害我的朋友，你答应

Question 18

谜题十八

难度等级 Lv. 

红豆和绿豆

你面前一个碗里混放着红豆和绿豆，再给你两个空碗，要求你在十分钟之内把红豆拣到一个碗，把绿豆放到一个碗。

【正确的答案在167页，快去验证一下吧！】

过的！”

怎样才能救查理呢？多多急得直跳脚。突然，脑海中灵光一闪，他迅速从包包里取出《塞亚的咒语》，书页像有所感应似的哗啦啦地翻开了，刚好停在解除封印那一页。事不宜迟，多多聚精会神地大声念道：

借光明之力量，赐吾等信心与神力灭黑暗之咒，破解封印。

空气中传来共振般的嗡鸣，地板上那只黑手突然抖了一下，无数光芒从指缝之间照射出来。

“啊——”黑暗大王发出一声惨叫。橙色宝石发出瑰丽的光芒，光芒越来越盛，一瞬间就将那只黑手化解，又变成一道刺目的光柱朝克莱尔射去。克莱尔浑身沐浴在耀眼的光芒当中。

多多抱着书，赶紧跑到查理身边：“查理，查理，你还好吧？”

查理虚弱地睁开眼睛。“汪，我才不会那么容易死翘翘！”它挣扎着站起来，转头看向克莱尔，脸上露出疲倦的笑，“太好了，克莱尔的封印终于解开了！”

多多回头看了克莱尔一眼。克莱尔的头发耀眼夺目，清澈的眼睛充满了灵气，浑身被一股似有似无的橙色气焰所包围。多多高兴地笑了，跟查理双目相对：又一个公主复活了。

“啊，你们这些狡猾的人类，本座要将你们一同沉入江底，让你们永无自由之日！”

黑暗中回荡着黑暗大王愤怒的咆哮声，直到阴森的气息散去，货舱区仍有嗡嗡的余音缭绕。多多心有余悸地呼了口气，说：“妈呀，黑暗大王快把我的魂吓没了，还好大家都平安无事。”

“谢谢你们救了我，”克莱尔笑吟吟地拉起多多的手，低头看向查理，“如果有机会的话，我还想当面谢谢黛娜，谢谢她照顾我那么多天。”

“哈哈，跟我就不用客气啦！对了，还是赶紧叫醒扶幽和虎鲨，等艾文和瓦妮莎来了，我们就走不掉了。”多多突然想起了另一件要紧事：黑暗大王一定会通知他的爪牙过来抓我们的。查理轻身跃到扶幽身边，用爪子拍打他的脸试图叫醒他；多多则跑到虎鲨身边用力摇晃，用大拇指掐他人中，可是他们依旧昏迷不醒。“虎鲨，赶快醒醒，醒一醒！”

“还是我来吧！”克莱尔蹲下身，把两只手分别放在虎鲨和扶幽的额头，闭上眼静静地等待。多多迷惑不解地看了查理一眼，查理扬了扬眉，回了一个疑惑的眼神。克莱尔的手指尖发出淡淡的光泽，像是在传递能量给他们似的。“我

已经把他们看到黑暗大王的那一幕从记忆中抹去了，他们醒来后不会再记得今晚的事情，心中也不会再有恐惧感了。”

哇！多多惊奇地打量着克莱尔。想不到她还有这种力量呢，真不能小看这些公主呀！

克莱尔运用特殊的力量为同伴治疗，过了片刻，虎鲨和扶幽真的迷迷糊糊地睁开眼，翻身坐了起来。

“咦，发生了什么事？”

“是啊，怎么我脑子昏沉沉的，还坐到了地上？”

多多眼珠转了一转，干笑着编了个冠冕堂皇的解释：“那是因为飘浮的雾气中有使人晕眩的成分，你和扶幽都睡过去了，而我们的抗干扰性强一些，所以没事。”

虎鲨头脑简单，懒得费脑子去想复杂的事，倒是扶幽挠着头一边琢磨一边不解地嘀咕：“真的假的？那帮人干吗在这没人的地方放迷药啊？那岂不是浪费资源？哦哦，我明白了，这些坏人的头脑绝不简单。对，一定是这样……”

“快走啦，你们不想再被那帮人抓住吧。”多多催促着伙伴们，迈步来到货舱门口。一拉门，他发现门拉不开了。“糟了，他们把门锁上了！”

扶幽故作姿态地拍拍多多的肩，挥了挥手道：“请让一让，让一让，这时候没有我唐大发明家怎么行？”扶幽从包包里取出工具包，动作熟练地对门进行解锁。不久，铁门咔

嗒一声打开了。多多意外地哗了一声："行呀你，扶幽，果然有一手啊！"

扶幽装模作样地做了个竖衣领的动作，然后对克莱尔优雅地躬身道："女生优先！"克莱尔拉着多多笑嘻嘻地出去了。查理灵巧地从门底下跑了过去。轮到扶幽走的时候时，虎鲨毫不客气地伸臂拦住他，不乐意地扫了一眼大出风头的扶幽，趾高气扬地走在前面。扶幽只好悻悻地跟在最后。小伙伴们正摸着黑往楼上走，突然，查理警觉地低声道："有人下来了，小心！"

伙伴们赶紧退回来，躲在楼梯下面的斜角。多多透过楼梯拐角的缝隙向上偷窥。清晰的脚步声越来越近，只见几位身穿黑斗篷的人依次从上面走下来，打头的一位非常不满地说道："瓦妮莎那个丫头有什么了不起，竟然以黑暗大王的名义向我发号施令。这底下的货舱怎么可能会有人？我看她分明是借机报复。哼！"

艾文，多多扭头冲伙伴们做了个"嘘"的手势。

"留一个在这里把守，其他人进去搜查。"艾文带了几个黑衣人先进去，最后一个黑衣人留在门边把守。多多他们就躲在黑衣人的眼皮底下，相距不到四米，他们只要发出一点响动，就会被黑衣人察觉，这该怎么办呢？多多朝虎鲨侧了侧头。虎鲨低头看向自己的脚边，恰好角落里扔着一根棒球

棍，他弯腰捡了起来。就在虎鲨做冲出去的准备时，守在门边的黑衣人突然转过头，朝楼梯角落这边看来。小伙伴们紧张得大气都不敢出，一动不动地贴墙立着。

黑衣人疑惑地走到近前，虎鲨握紧棒球棍猛地跳出来，举起棍子朝黑衣人的头打去。

“啷！”棍子像打在了木头上，竟然发出了响声。而黑衣人仍然站在原地，看似一点损伤也没有。虎鲨一下子懵了，傻愣愣地看着目标。黑衣人抬手摘掉自己的帽子，当伙伴们看清他的样子时，周围响起接二连三的倒吸声。

我的妈呀，一定是地狱里的恶鬼钻出来了！多多惊恐地看着眼前的景象：帽子里面竟然露出一颗粘着几根乱糟糟头发的森白的头骨，而它竟然还是活的；头骨转了转脖子，张开两排整齐的牙齿上下咬合，发出咯吱咯吱的声音。

“啊啊啊，怪物！本大爷跟你拼了！”虎鲨握紧棒球棍朝怪物劈头盖脸地打过去。

多多急喊：“赶快跟我走！”说完，他立即拉着克莱尔从黑衣人身边穿过去向楼上逃过去了。

“等……等等我！”扶幽慌了神，快速地追上来。快要跑到楼上时，多多突然看见了什么，吓得一下子刹住了脚步，脸上写满了惊慌与害怕。“啊，又是它们！”克莱尔手捂着嘴发出一声惊叫。

只见黑暗的楼梯转向处，两个黑衣人静静立在阴影中，他们双手抱胸居高临下地注视着他们。

“糟了，这次我们出不去了！”多多颤着声低叫。查理龇着利牙，纵身跃向空中朝黑衣人扑去。突然，一只黑色手掌准确无误地掐住了查理的脖子。

“查理！”伙伴们齐声惊呼。

“汪！”查理痛苦地挣扎尖叫。一个黑衣人掐着查理脖子，另一个移动脚步一步步逼近伙伴们，抬起手臂，张开五指对准了他们。多多用力吸了一口气，气呼呼地瞪着他们，咬牙道：“好吧，我跟你们拼了！”

话音刚落，突然，诡异的事情发生了——多多吃惊地发现自己的身子竟然不能动了。妈呀，这……这是怎么回事？多多看向其他人，他们个个跟他一样，垂着手臂，像被绳子捆住似的完全无法动弹。

“可恶！放开本大爷，你这见不得光的烂骨头！”楼梯下面传来虎鲨的大喊大叫。伙伴们扭头看去，虎鲨被黑衣人揪住了衣服领子，双脚腾在空中正胡乱扑腾。黑衣人拎着虎鲨走上楼，用力一推，虎鲨一屁股摔倒在伙伴们的身边。

“狡猾的小鬼们，竟然耍我！我要狠狠地惩罚你们！”艾文像一阵风似的从楼下跑了上来，气急败坏地瞪着他们。肩头的对讲器里沙沙地传出一个嘲弄的女音：“要不是我派

人拦截，那帮小鬼就把你耍了。看来你也不过是个四肢发达头脑简单的家伙，呵呵！”

“什么？你也敢嘲笑我？啊啊啊，我要让你看看我是怎么惩罚他们的！”艾文狂怒，抬起手臂做了个古怪的姿势。

扶幽哆哆嗦嗦地叫道：“他要干什么？”多多还没来得及说什么，船身突然左摇右晃起来。

多多脸色大惊，抱着头尖叫道：“不……不好了，船要翻了！”

那几名黑衣人的斗篷齐刷刷地落在地上，几只硕大的乌鸦从衣服底下尖叫着飞到空中，掀起一阵阵狂风。伙伴们站立不稳，一头栽向楼梯，一阵惊叫，他们像球似的咕噜咕噜地滚了下去。多多只觉得浑身的骨头都在痛，偏偏地板晃来晃去，害得他四处乱滚，不时跟伙伴们撞在一起。

多多他们翻来滚去，似乎有一个世纪那么长，终于，地板停止了晃动。多多感觉后背贴着冰块似的冰冷无比，挣扎着坐起来一看：妈呀，这……这是什么地方？伙伴们个个瘫倒在地上喘息着，而他们的四周摆满了一排排的巨型冰块，不断有寒气从冰块上散发出来，看上去就像一间冰室。

“现在你们知道得罪我的结果了吧。你们就老老实实待在里面，不要妄想着从这里逃出去，哈哈！”艾文狂妄地笑起来。

多多转过头，看见艾文正站在门外冲他挥手，冰室的门在缓缓合拢。“不要！”多多惊叫。门砰的一声关闭了，他们彻底与外面隔绝了。

“妈呀，我快要吐了！”扶幽发出痛苦的呻吟。查理四脚朝天地躺在扶幽背上，仍处于昏头昏脑的状态中。克莱尔手抚着胸口坐起来，脸色有点苍白，似乎还有些不适。

“浑蛋，本大爷可不是好欺负的……”虎鲨手臂颤抖地支起上半身，恨恨地咒骂道。

不一会儿，伙伴们都缓过劲来，纷纷站起来打量四周。多多冲到门口，挥舞着拳头砸向门板：“快给我们开门，你们这些坏蛋！你们不能把我们关在这里！”

查理纵身跳到冰块上，只看了一眼，眉头就紧皱起来：“这里到处都是冰块，温度是零下 20 度左右，在这里我们只能支撑两个小时……”

“完了完了，我们会被冻死在这里！我们都要死了！”扶幽哇哇地乱叫起来。

多多的心不断地沉向谷底，脸上渐渐露出绝望的表情：客轮正在开往江心，他们不是在这里冻死就是被人扔下江底，结果都难逃一死……该怎么办？难道，他们真的会死在这里吗？

答案：
Answer

【怎么样，你答对了吗？后面还有更多谜题等你挑战呢！】

FILE 19

镜头十九

chéng gōng

成功获救

CHARLIE IX & DODOMO
BIZARRE MURDER BELDAM

小伙伴们在冰冷的制冰室里，冻得缩着身子挤在一起相互取暖，每个人的头发上都出现了雪白的冰霜。“好冷……好冷啊！”多多哆哆嗦嗦地低语，他的脸色发白，浑身颤抖个不停。克莱尔呼吸微弱，整个人已经陷入半昏迷状态。扶幽缩成一团，把头埋在膝盖里，牙齿不断地打颤。

“我们要活动，要不停地活动，本大爷可不想死在这里！阿嚏！”虎鲨流着两行鼻涕，非常卖力地在冰室里跑着，

但是双腿像灌了铅似的跑不动了。

“都……都两个小……小时……时了，还……还没人来……来救……救我们。”扶幽冻得很难说出一句完整的话。

“坚持……坚持下去……总会有希望的……”多多眼中仍存有一丝期待的光芒，他把查理抱在怀里让它取暖。查理勉强撑开眼皮望着多多，无力再说一些什么。多多疲倦地笑着，用充满信心的话鼓励同伴们：“不到最后一刻……我们不要放弃希望，一定会有人来救我们的……天很快就会亮起来，那时……我们就得救了。”

半个小时后，伙伴们全部都倒在地上，气息变得微弱。

“咔唧”，外面传来沉重的开锁声。声音飘进多多耳朵里，像是从非常遥远的地方传过来的。快要昏迷的多多用力睁开双眼，模模糊糊的视线中，隐约看见几道刺目的手电光束射进来，还有人拿起手中的对讲机说：“找到他们了，他们被关进了制冰室……”

真好……终于得救了……多多眼前一黑，昏了过去。

不久之后，伙伴们坐在了温暖的房间里，恢复了精神。他们坐在床上，身上披着毯子，每个人手里都捧着一杯香喷喷的热奶茶。四五个警察正对他们录口供，了解事发经过。查理懒洋洋地趴在多多的枕头旁边打盹儿。

Question 19 谜题十九 难度等级 Lv.

水壶结冰

多多他们哆嗦着围在一起，他们带的水壶里的水也慢慢结成了冰。水结成冰的时候，体积会比原来增加 1/11，那么，冰再化成水的时候，体积会减少几分之几呢？

【正确的答案在15页，快去验证一下吧！】

“叔叔叔叔，那些黑衣人太可怕了，能变成乌鸦飞走！是真的！”

“那个浑蛋冲本大爷一指，我就被定住了……”

“是黑暗大王干的，他想阻止我们解救安公主，所以……”

伙伴们七嘴八舌地讲述着事情经过，每个警察脸上都露出一模一样的神情：这些可怜的孩子被冻得太久，连大脑都产生了幻觉……这时，一位身穿长官制服的警察走进来，微笑地看向伙伴们：“好了，大家都辛苦了。现在船已经靠岸了，你们可以回家了。”

“叔叔，你们不相信我们的话吗？我们真的拯救了安公主。”多多拉着正要离去的警官，急忙解释道。警官无可奈何地说道：“我不知道什么安公主，只知道你们帮助我们成功破获了一起毒品走私案件，你们现在是大英雄了。”

什么？多多眼睛睁得老大，另一位警察走过来作了一番解释。原来警方接到一名叫慕小鱼的孩子的报案，说有一艘船出现机械故障飘向江心去了，上面有几个孩子。警察就调集人马过来营救，结果在船上搜查出几箱毒品。经过警方确定，这艘船是一个大毒枭的私家客轮。这几年，警方一直在跟踪毒品来源的案子，令人困惑的是，不知道毒品是以什么方式进来的。万万想不到，孩子们跟踪几名可疑的黑衣人，

竟然混到了船上，误打误撞地帮他们破解了一起毒品走私案件。

“你们帮我们警方解决了一个大难题呀，”高级警司十分赞赏地拍了拍多多的脑袋，“你说的那个黑衣人，其实就是毒枭的手下，至于什么变成乌鸦……呵呵，我想一定是你们产生的幻觉。”

显然，警察叔叔们谁也没有相信他们的话。多多叹了口气，大人们总是不相信孩子们的言论。

“呜——”在一阵轰鸣声中，客轮缓缓地靠了岸，此时，天空中刚刚露出几缕黎明的曙光，但是岸边密密麻麻挤满了围观的群众。多多抱着查理走下舷梯时，意外地从人群中看到了两个熟悉的身影。“快看，是小鱼他们！”多多手指着前方，惊喜地叫起来。

“小鱼，黛娜！”扶幽冲他们大力挥手。小鱼和黛娜开心地招手示意。走在最后的虎鲨也开心地咧嘴笑了。多多的视线从密密麻麻的人群中扫过，无意中看到两个可疑的身影：一位漂亮的中东女孩正挤在人群中围观，旁边是人高马大的年轻人，两人正用仇视的目光瞪着他们。

瓦妮莎和艾文？多多眼皮一跳：这两个人，最后还是逃掉了。

瓦妮莎注意到多多看着他们，转身带着艾文离开了，转

眼之间便消失到了人群之中。

这一次你们得意不起来了吧？哼！多多解气地扬了扬眉头。走下客轮以后，小伙伴们团聚在一起，扶幽对小鱼及时报警大力赞扬，小鱼不好意思地红了脸，逗得黛娜在旁边哧哧地笑。看到大家都平安无事，多多非常开心。

答案：
Answer

Question 19 Lv. B
谜题十九 难度等级

【怎么样，你答对了吗？后面还有更多谜题等你挑战呢！】

FILE 20

镜头二十

山姆和克莱尔

shān mǔ

CHARLIE IX & DODOMO
BIZARRE MURDER BELDAM

天亮了，小伙伴们分手的时候，多多看见几名穿制服的船员被警察押上了警车，扭头问克莱尔："对了，以后你有什么打算？山姆和拉墨族长正盼着你回去呢。说起来，你跟山姆有30年没见了。"

克莱尔眼中现出了绚丽的光芒，非常欣喜地点点头："可是对我来说，是昨天和今天这样短。我好期待见到已经成为族长的弟弟，山姆也长大了吧！"

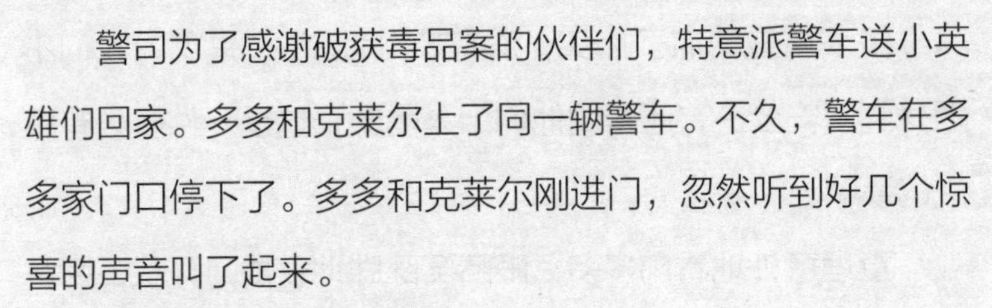

警司为了感谢破获毒品案的伙伴们，特意派警车送小英雄们回家。多多和克莱尔上了同一辆警车。不久，警车在多多家门口停下了。多多和克莱尔刚进门，忽然听到好几个惊喜的声音叫了起来。

“克莱尔！山姆又见到克莱尔了！”

“姐姐！”

“克莱尔小姐！谢天谢地，终于找到你了！”

多多抬头一看，意外地“啊”了一声，想不到家里来了几位不速之容。只见少年族长维特和几位脸上画着彩绘纹的土著人朝这边奔过来。族长肩头立着只有拇指那么高、顶着一头长到脚踝的蓬松白发的山姆。他们围着克莱尔，一个个激动万分，眼含热泪。

“这……这到底是怎么回事？谁来给我解释一下？”多多惊讶地叫道。山姆激动地站在地上，手舞足蹈地向多多解释：“拉墨族长一直向往大海以外的世界，希望用几年的时间去世界各地旅行，见见世面。所以山姆理所当然成为族长的向导喽！多多家就是我们的第一站，想不到竟然遇到了克莱尔。多多，你简直送给我们一个特大的惊喜呀，哈哈！”

原来是这么一回事。看到失散多年的亲人重逢，摇着小尾巴的查理欣慰地说道：“看到这一刻，我觉得我们好伟大，做什么都不觉得辛苦了。”

多多重重地点了点头，深有感触地说：“是啊，我们不但找到了安公主，还帮助他们亲人团聚，这是一件多么有意义的事啊！”

查理意外地看向多多，眼睛笑眯眯地变成月牙状，赞赏道：“我突然发现，多多你真的长大了，能说出这么感性的话。”

“所以，不要小看我哦，我的本领你还没有全部看到呢。”多多大言不惭地笑道。

不久，客人们重新回到客厅，多多妈妈端来水果拼盘热情地招持客人。族长率着族人一齐向多多行了个隆重的大礼，感谢他成功寻回失踪多年的克莱尔。多多家的客厅之中其乐融融，欢声笑语不断。

多多提议大家玩猜影子的游戏，各自用手来比划，别人来猜！

“大家笑一笑哦，这样照出来才好看。”咔嚓咔嚓，多多端着数码相机对准沙发上的族长他们频频按下快门。山姆坐在克莱尔的旁边不断招手，一脸无比幸福的笑容。

谁也想不到在他们身上发生了那么多神秘离奇的事情，这次他们重聚后，应该会过上幸福的生活吧。多多低头翻看着刚刚拍的照片，心里感慨万千。等等，这是什么？突然，多多的眼睛直直地盯着一张照片，照片一角拍到了某个黑衣身影：是黑……黑鸦神！

Question20 谜题二十 Lv. D 难度等级

什么样的影子?

会出现什么样的影子呢?

【正确的答案在179页，快去验证一下吧!】

“汪！汪！”查理跳上了窗台，目光灼灼地望着外面大声叫唤。

多多吃惊地抬头望向窗户，只见窗台对面的马路上，黑

鸦神静静站立在那儿，嘴角微微勾起一个邪恶的笑，似乎在说“后会有期”。

多多赶紧冲到窗前，黑鸦神瞬间化作一股黑烟消失了。

是啊，虽然又找到了一位公主，但事情还远没有结束，还有更多的事要去做，多多感到身上的担子更重了。自从翻开了那本《塞亚的咒语》，寻找安公主就成了多多的使命，无论前方的路有多少艰难险阻，都不能阻止他的脚步。

——【第二部完】——

CHARLIE IX PRODUCTION COMMITTEE

答案：
Answer

Question 20 Lv. D
谜题二十 难度等级

第三册

《暗夜森林的死亡列车》

……多多有一种被人盯着的感觉
他扭头看向四周，那些诡异的乘
齐刷刷地扭头看着他，眼睛却
怪异的光芒。

赤狐从地上捡起一只麻袋，把短刀、
安全护具、绳索等一股脑往麻袋里塞。

"他已经死了！"
查理吸着冷气惊叫道
只见这个人的身体呈现出
很奇怪的弯曲姿势，软绵绵
地立在塞有衣服的柜子里……
快来帮帮我们!!

这真的是一趟有去无回的列车吗？
小伙伴们的真正冒险才刚刚开始！

墨多多与查理九世

超级大侦探教室

Super Detective Classroom

密室寻宝，险境求生，

观察力、逻辑推理能力、判断力，缺一不可。

接受挑战吧！

下一个冒险王，就是你！

PLAY TIME ▶▶▶

超级大侦探教室
Super Detective Classroom

玩转脑细胞

CASE 01. 看字母找规律

按照图中的英文字母，找出其中的逻辑规律，请问，Z应该是什么颜色的？

Z是深色的，此题的逻辑在于所有深色的字母都能一笔写完，白色字母则不行。

超级大侦探教室
Super Detective Classroom

玩转
脑细胞

CASE 02. 太空奥秘

杂志《太空奥秘》里面有段描写，说宇航员听到身后有恐怖的怪声，回头一看，居然有一个绿色皮肤的外星人！多多看得胆战心惊，可是查理却不以为然，说这个情节完全是虚构的。为什么？

在没有空气的太空，声音是无法传播的。宇航员无法听到宇航服以外的任何声音。

超级大侦探教室
Super Detective Classroom

玩转脑细胞

CASE 03. 林女巫的考试题

还记得《恐怖的巫女面具》里的林老师吧？墨多多说，当她出考题的时候才会变成真的女巫哦。今天林老师给墨多多等人出了100道选择题，做对得1分，错了或者不做扣0.5分。结果婷婷得了91分，你能算出她做错或者没做的题目有几道吗？

6道。假设没做或做错的题为X，则做对的题为100-X道。列式（100-X）1-0.5X=91 算出X=6。

玩转脑细胞

CASE 04. 消失的手指

查理做了个有趣的实验：他让墨多多用右手捂住左眼，然后右眼向前看。举起左手食指从左边面颊经过向前伸去，直到能够刚刚看到鼻梁上的手指尖为止。此刻把目光对准手指，会有一个奇怪的现象发生：手指不见了……墨多多很惊讶，反复做了几次后终于明白其中的秘密了。请问你知道这是为什么吗？

直着往前看的时候，可以看见手指尖，因为右眼的视野能够越过鼻子达到那里。但如果瞳孔在视角里向左转，那么视野就会发生变化，射向手指的目光被鼻子挡住了。

CASE 05. 蚂蚁

郊外，多多和查理围观一只蚂蚁。查理突然说：“你觉得一只蚂蚁从几百万米高的山峰落下来会怎么死？”岁多抽抽嘴角：“这是冷笑话吗？”你知道答案是什么吗？

答案：因为飘得太久，蚂蚁饿死了。

玩转脑细胞

CASE 06. 绝对不假

多多爸一边看报纸一边叹息不断："唉，现在的报纸啊，登的消息都不一定百分之百是真的，太糊弄读者了……"查理却偷偷冲多多使了个眼色，用他的声音说："爸爸，你错了，有一个消息绝对假不了。"请问你知道是什么消息吗？

答案：报纸的日期。

CASE 07. 动物园里的规矩

小伙伴们一起去动物园玩，查理问大家：“国有国法，家有家规，你们知道动物园里有什么‘规’吗？”

答案：因为虎鲨是在家里捡到的钱。

CASE 08. 一题多答

历史课上，虎鲨无聊地直打哈欠。他偷偷问了同桌扶幽五次同样的问题，每次扶幽给的答案都不同，但五个答案都是正确的。你知道虎鲨问的是什么问题吗？

答案：虎鲨问的是："离下课还有几分钟？"

超级大侦探教室

Super Detective Classroom

玩转脑细胞

CASE 09. 字谜

时值二月，妈妈给多多出了一道字谜，允诺如果他能猜出来就有礼物。谜语是这样的：“二月身相靠，非‘朋’又非‘冐’，若当‘昌’字猜，算你猜错了。”多多思考一番，就猜出了答案，拿到了礼物。你知道这个字谜的谜底是什么吗？

答案：用。

玩转脑细胞

CASE 10. 买水彩笔

多多和妈妈逛超市，看到水彩笔有很多种规格：16 支装、17 支装、24 支装、39 支装、40 支装。妈妈说：“如果你能用几盒刚好组合成 100 支水彩笔，我就给你买。”多多想了想，告诉了妈妈他的组合方式。你知道多多是如何组合的吗？

答案：16支装2盒，17支装4盒，共6盒100支。

特殊数字

下面哪个数字是特殊的?

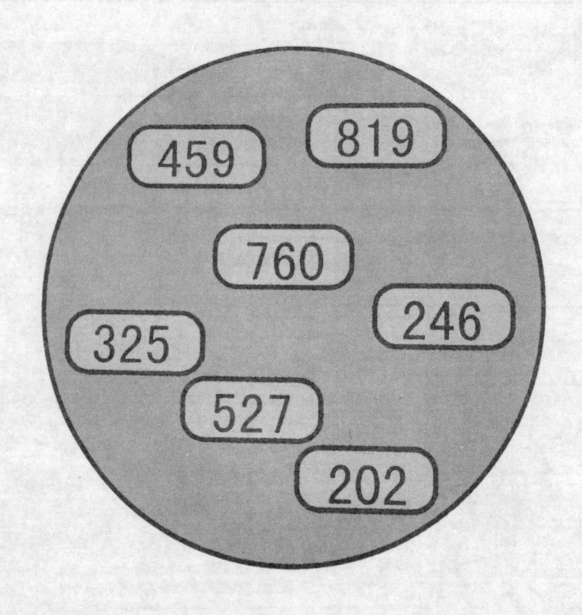

760。其余数字前两个数位上的数字之和等于第三个数位上的数字。

[黄金思维]

数字地基

请找出所给出数字之间关系，将问号处的数字补充完整。

8	6	5	3	6
5	1	5	2	4
3	5	0	1	2
1	6	5	1	2
?	?	?	?	?

答案：18500。第一行数字-第二行数字=第三行数字，其余的数依此类推。35012-16512=18500。

敏捷+迅速　查理九世思维测试

[黄金思维]

翻转王冠

选择经过翻转后得到的王冠。

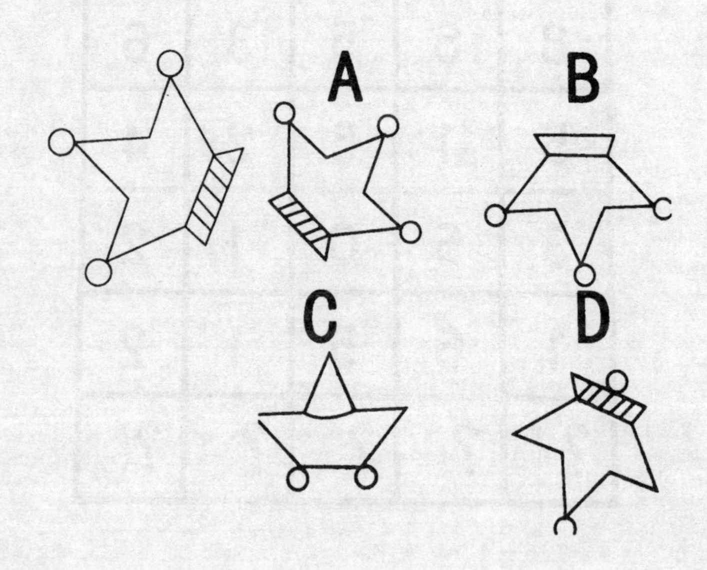

A。

博学睿智的查理，聪明好问的墨多多，勇敢直率的虎鲨，勤奋理智的婷婷，富有创造力的扶幽，《查理九世》系列中描写了一个又一个生动的人物形象，当你阅读的时候，是否也幻想过创造一个属于自己的人物角色，让他/她也走进查理九世的世界，来经历那些动人心魄的离奇故事呢？

下面，请按照以下格式来填写你心目中的“破谜者”吧——

形象涂鸦

姓名：

生日：（年月日）

性别：

外貌设定：

性格：

身世：

特长：

缺点：

经典动作：

外号：

我们将从中挑选出优秀的人物角色在新书后面和网站上加以展示，说不定，你心目中的角色将会和DODO冒险队一起并肩作战哦！

附言：（一小段符合你塑造的人物角色的情节描述，比如如何和DODO冒险队相识，经历了怎样危险的情境，50—200字。可另附纸。）

编辑部地址：上海邮政信箱203-025# 邮编：201203 欢迎来信！

查理九世的温馨提示：

DODO 冒险队是世界冒险协会承认的冒险队，并且由我查理九世亲自提供安全保障，他们的冒险看似危机重重，但是实际上一切都在我的掌控之中。

各位小读者，如果你们希望和 DODO 冒险队一样拥有精彩的冒险经历，一定要在家长或者专业人士的陪同下进行，注意安全第一哦！

『查理九世与墨多多』CHARLIE IX

■Charlie IX Production Committee

[雷欧幻像]作品
LEON IMAGE WORKS

STAFF/制作团队

【总策划】
宋巍巍
Vivison

【执行主编】
赵 婷
Mimic.Z

■ 文字

孙 洁 Sue　谷明月 mavis

郭 娜 s.t,peace　梁 枚 mei

■ 封面

赵 婷 Mimic.Z

■ 插图

孙 东 Sun　周 婧 Qiaqia

■ 灰度

潘培辉 Jing　周 婧 T.night

■ 设计

丁 果 VIN

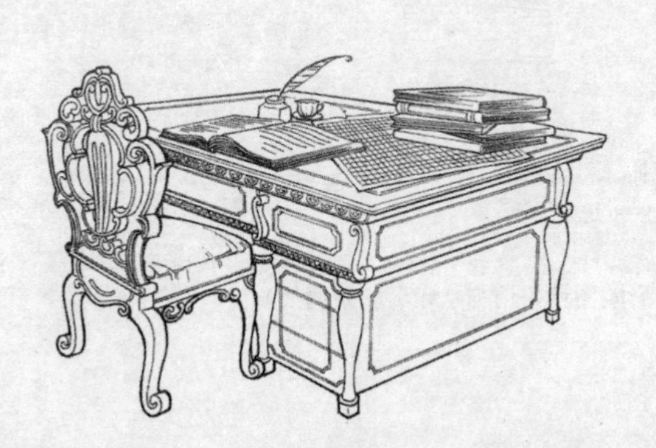

图书在版编目（CIP）数据

诡异的杀人恶婆 / 雷欧幻像著 .—杭州：浙江少年儿童出版社，2014.9
（查理九世第二季）
ISBN 978-7-5342-6212-8

Ⅰ. ①诡… Ⅱ. ①雷… Ⅲ. ①儿童文学—长篇小说—中国—当代 Ⅳ. ① I287.45

中国版本图书馆 CIP 数据核字（2014）第 298177 号

查理九世第二季
诡异的杀人恶婆
雷欧幻像 著

责任编辑：王宜清　吴颖
美术编辑：周翔飞
责任校对：冯季庆
责任印刷：林百乐
浙江少年儿童出版社出版发行
杭州市天目山路 40 号
杭州杭新印务有限公司印刷
全国各地新华书店经销
开本 889×1194　1/32
印张 6.25　插页 3
字数 120000
印数 1—10000
2014 年 9 月第 1 版
2014 年 9 月第 1 次印刷
ISBN 978-7-5342-6212-8
定价：15.00 元

问题&创意专用纸 Charlie'

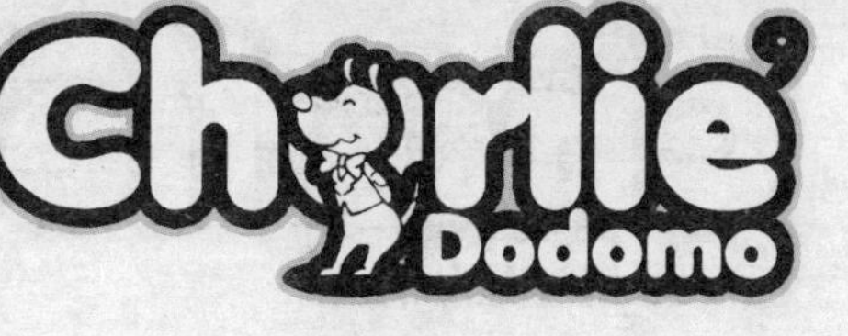

更多关于查理九世的信息请登录：http://charlie9.com/
或登录腾讯儿童查理九世官方网址：kid.qq.com/chali.htm 更多好礼等你来赢取哦！

『查理九世』编辑部地址：
上海邮政信箱203-025# 邮编：201203（热烈欢迎来信！）

姓名: 性别:

年龄: 年级:

地址:

QQ: 电话:

① 你花了多长时间阅读这本小说？是一口气读完的，还是花了几天时间慢慢地读？

A.一口气读完□ B.分几天读完□ C.没读完□ D.家长不让看□

② 你最喜欢小说中的哪个人物？（打√选择，可多选）

A.墨多多□ B.婷婷□ C.虎鲨□ D.扶幽□ E.查理□
H.其他.□理由( )

③ 你对每一章节的谜题感兴趣吗？

A.喜欢□ B.一般□ C.不喜欢□理由( )

④ 你喜欢查理九世的封面与插图吗？

A.非常喜欢□ B.喜欢□ C.一般□ D.不喜欢□
E.很不喜欢□理由( )

⑤ 你购买《查理九世》的原因是？

A.书名吸引人□ B.封面好看□ C.朋友介绍□
D.已经是忠实读者，习惯性购买□
E.其他□

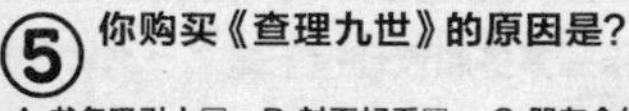

⑥ 小说中令你印象最深刻的场景是哪几个？为什么？

Charlie Dodomo

Charlie 读者问题&创意专

① 你对故事后面的小栏目感兴趣吗？还希望出现怎样的游戏呢？

A.冷笑话□ B.智力游戏题□ C.脑筋急转弯□ D.小案件推理□
E.其他( )

② 你阅读过贱狗小五郎的故事后，是否对它有兴趣？如果集合成册出版的话，你会购买吗？

A.喜欢，所以会买□ B.一般，但是会考虑□ C.没兴趣□
理由( )

③ 读完本册《查理九世》后，你会期待看到查理和墨多多更多的故事吗？（单选）

A.会□ B.不会□ C.还好□

④ 你是否读过《查理九世》第二季系列中的其他小说？如果有的话，你最喜欢的是哪一本？

01《查理九世 地下密室的献祭》□ 02《查理九世 诡异的杀人恶婆》□
03《查理九世 暗夜森林的死亡列车》□ 04《查理九世 鬼灵附身的巫女》□
05《查理九世 夜访幽灵古宅》□ 06《查理九世 尼莫岛的食人花》□
07《查理九世 残缺的黄金卷轴》□ 08《查理九世 黑骑士的犯罪预告》□
09《查理九世 黑暗判官的阴谋》□ 10《查理九世 逃离恐怖幻境》□
11《查理九世 鬼焚城堡的巨蜥怪》□ 12《查理九世 永生岛的不死之谜》□
13《查理九世 人鱼族的邪恶诅咒》□ 14《查理九世 木乃伊女王的傀儡》□
15《查理九世 落日谷的黑灵戒》□ 16《查理九世 阿芙拉宫的宝藏》□
17《查理九世 末日预言的终结》□ 18《查理九世 异形人的复仇计划》□
19《查理九世 摩顿怪物基地》□ 20《查理九世 潜伏的外星侵略者》□
理由:

⑤ 你喜欢《查理九世》的赠品吗？除此之外，你还希望获得什么样的赠品呢？

⑥ 你希望多多和查理接下来去什么样的新谜境冒险呢？

⑦ 在这里可以写上你对《查理九世》的任何期待：

感谢您参与问卷调查，认真填写的小读者将有可能成为《查理九世》免费试读会的成员，将不定期地收到《查理九世》编辑部提供的神秘礼品和各种免费试读少儿读物哦。

冒险、奇遇、神秘、悬疑、竞技、哲理……好故事不需要魔法！请和『查理九世』一起，以脑力和勇气探寻不为人知的世界吧。

注意!!

●《查理九世》第
好评热销